10 **18**

12, avenue d'Italie — Paris XIIIᵉ

LE COMITÉ TIZIANO

PAR

IAIN PEARS

Traduit de l'anglais
par Georges-Michel SAROTTE

10 18

« Grands Détectives »
dirigé par Jean-Claude Zylberstein

BELFOND

Titre original :
The Titian Committee

© Iain Pears, 1991.
© Éditions Belfond, 2000,
pour la traduction française.
ISBN 2-264-03279-0

À Dick

Certains des bâtiments et des tableaux mentionnés dans ce livre existent, d'autres non, et tous les personnages sont imaginaires. S'il y a bien un service chargé du patrimoine artistique dans une caserne du centre de Rome, je l'ai fait arbitrairement dépendre de la police et non pas des carabiniers, afin de souligner que mon récit n'a rien à voir avec l'action de l'original.

1

Tout commença par la découverte que fit le jardinier des Giardinetti Reali, vieux personnage voûté dont le travail n'est pas en général remarqué par les millions de touristes qui chaque année visitent Venise, même par ceux qui mangent leurs sandwichs au milieu de ses œuvres tout en soufflant un peu après une surdose de splendeurs architecturales.

Bien qu'il ne fût pas apprécié à sa juste valeur, le vieil homme était passionné par son métier. En cela c'était un cas isolé. Venise n'est pas réputée pour son amour de la nature ; en fait, toute l'histoire de la ville a été dominée par la nécessité d'empêcher les éléments de la gêner dans ses affaires. Un pot de fleurs accroché à une fenêtre constitue le plus souvent le seul contact avec les joies de la nature sauvage que connaissent les Vénitiens. La plupart d'entre eux sont même incapables d'apercevoir un espace libre sans l'imaginer soigneusement recouvert d'un dallage. Si vous désirez planter quelque chose, allez sur la terre ferme ! Les vrais Vénitiens ne bêchent pas le sol.

C'est pourquoi le jardinier avait l'impression d'appartenir à une petite minorité un tant soit peu persécutée. Deux arpents de jardin coincés entre la place Saint-Marc et le Grand Canal : il fallait retourner les parterres, tondre l'herbe, tailler et soigner les arbres, retenir l'eau de mer à une distance respectueuse. Tout cela avec peu d'aide et encore moins d'argent. Mais ce samedi-là était un grand jour : la ville lui avait spécialement commandé des fleurs pour un banquet qui devait se tenir le soir sur l'Isola di San Giorgio. Il offrirait ce qu'il possédait de plus beau : trois douzaines de lis qu'il cultivait depuis des mois dans l'une de ses petites serres. On les admirerait et on le féliciterait. Ce serait une journée merveilleuse.

Il y avait beaucoup de travail en perspective. Il fallait cueillir les fleurs, les couper, les préparer, envelopper chacune d'elles avec soin, puis les expédier pour qu'elles prennent place dans les superbes compositions florales qui, il en était sûr, seraient le clou de la soirée. Il se leva donc tôt, juste après six heures, avala un café et un verre d'*acqua vita* pour se fouetter le sang, puis partit s'atteler à la tâche dans la fraîcheur humide de cette fin d'automne. Malgré le froid et quoiqu'il ne fût pas entièrement réveillé, il ressentait déjà une petite bouffée de plaisir à l'approche de la serre émergeant peu à peu de la brume de mer matinale qui, à cette heure et à cette saison, enveloppait toujours la lagune.

Jusqu'au moment, hélas ! où, en ouvrant la porte, il

12

découvrit les vestiges tordus, écrasés et déchiquetés des belles fleurs altières dont il s'était occupé avec tant d'amour. Les charmantes créatures qu'il avait quittées la veille n'existaient plus. Il n'en croyait pas ses yeux. Puis il aperçut au milieu du parterre le corps du noctambule ivre, le coupable, à n'en pas douter.

Il s'efforça de se maîtriser, mais sans succès. Alors il se défoula en tentant de réveiller le misérable avec un coup de pied bien placé. C'était une femme ! Dans sa jeunesse les femmes savaient se tenir, se dit-il amèrement. De nos jours…

« Bougez-vous, sacré nom d'un chien ! Regardez ce que vous avez fait ! » hurla-t-il avec fureur.

Pas de réponse. Il glissa le bout de sa chaussure sous le corps inerte et le retourna afin de pouvoir agonir d'injures plus efficacement cette femme cruelle et sans pitié.

« Sainte mère de Dieu ! » s'écria-t-il.

Et il courut chercher du secours.

« Un meurtre », dit le général Taddeo Bottando, un sourire sardonique sur les lèvres. Il se trouvait dans son bureau ensoleillé au centre de Rome. « Un meurtre », répéta-t-il, savourant, à l'évidence, le mot et la réaction qu'il lisait sur le visage de sa collaboratrice assise en face de lui. « Violent et sanglant », ajouta-t-il en croisant les bras par-dessus son abdomen proéminent, histoire de s'assurer qu'il n'y avait aucune équivoque à ce sujet.

On était dimanche, le lendemain du jour où le

13

jardinier vénitien avait découvert le saccage de ses parterres de fleurs. Depuis l'instant où, saisi de panique, il était parti en courant à la recherche d'un téléphone pour appeler la police, les autorités italiennes s'étaient, sinon jetées dans une activité débordante, à tout le moins officiellement mises en mouvement. En conséquence, le général Bottando avait à contrecœur regagné son bureau pendant son jour de repos et tiré du lit sa collaboratrice afin qu'elle apporte son concours.

Après tout, choisir une terre étrangère pour y mourir, c'est faire preuve d'un très grand sans-gêne. En effet, si ces voyageurs se rendaient compte des ennuis qu'ils créent, la plupart repousseraient leur départ de ce monde jusqu'à leur retour au pays. Il faut d'abord aviser la police locale, puis faire venir médecins, ambulanciers, pathologistes et tutti quanti pour qu'ils s'occupent du cadavre. Ensuite, il faut envoyer un message au consulat, lequel contacte l'ambassade qui, à son tour, entre en rapport avec les autorités du pays d'origine, qui informe la police du lieu de résidence, laquelle doit apprendre la nouvelle au parent le plus proche. Et ce ne sont là que les préliminaires. Si on ajoute à cela la rédaction de divers procès-verbaux en plusieurs langues, l'organisation du transport du corps avec les services de la douane et de l'immigration, il n'est guère étonnant que beaucoup de fonctionnaires préfèrent voir les étrangers, s'ils doivent absolument mourir, aller le faire ailleurs.

C'est encore plus pénible quand l'étranger – ou l'étrangère, dans ce cas précis – se fait assassiner. Et quand cette étrangère appartient à un comité d'histoire de l'art financé par le ministère des Arts italien, et que l'objet du travail de ce comité est Tiziano Vecellio (1486-1576), un Vénitien, à un moment où le ministre de l'Intérieur est également vénitien, les téléphones se mettent à sonner, on envoie des télex, on fait des requêtes pressantes, on se refile le bébé. Chacun exige des mesures immédiates que quelqu'un d'autre est chargé de prendre.

D'où, pour revenir à notre affaire, le sourire complaisant qu'arborait le général Taddeo Bottando en évoquant les circonstances de la mort prématurée du Pr Louise M. Masterson devant Flavia di Stefano, sa plus brillante et plus précieuse collaboratrice au sein de la brigade nationale italienne chargée de la répression du vol des œuvres d'art.

« Ah ! très bien…, répondit son assistante avec soulagement. Vous m'avez fait peur, un instant. Alors pourquoi est-ce que je suis là au lieu d'être dans mon lit en train de lire le journal ? »

Il ne faudrait pas croire un seul instant qu'en l'occurrence ils étaient tous les deux cyniques et insensibles. S'ils avaient réfléchi à la question, ça leur aurait fait beaucoup de peine, naturellement, qu'une femme de trente-huit ans, dans la force de l'âge et ayant beaucoup à apporter dans son domaine de recherche – l'iconographie de la Renaissance – ait été envoyée dans la tombe avant son heure par un agresseur inconnu. Mais dans la police – c'est l'une des constantes du métier – on a rarement le loisir de réfléchir à des questions qui ne vous concernent pas.

15

Et ce décès, tout tragique qu'il était, appartenait sans la moindre équivoque à cette catégorie. Leur petite section, dotée de maigres ressources, avait été créée plusieurs années auparavant pour endiguer, en un combat perdu d'avance, la marée des vols qui emportait des œuvres d'art hors d'Italie. Les fonctionnaires de la section s'occupaient des vols et des faux concernant les tableaux, gravures, dessins, statues, céramiques et même, une fois, un bâtiment volé *en bloc** pour être transporté en Corée du Sud. Ils furent très fiers d'avoir récupéré un escalier, une pièce entière, ainsi qu'un morceau de la bibliothèque. Hélas ! on ne retrouva jamais ni les murs ni les fondations. Comme Bottando l'avait expliqué au propriétaire qui, au comble du désespoir, contemplait le tas de bois et de gravats au fond du camion, il ne s'agissait que d'un succès partiel.

Le fait est que si les crimes commis contre l'art étaient de leur ressort, ceux perpétrés contre les historiens de l'art ne l'étaient pas. On les aurait sans nul doute déchargés d'un dossier concernant ce genre de forfait même si tout le contenu du Musée national avait disparu par la même occasion. Ça dépendait beaucoup, bien sûr, des querelles de territoire entre les divers services de police, mais un vieux routier comme Bottando n'aurait eu aucun mal à éviter de se charger d'une affaire s'il n'en avait pas voulu.

Et, de toute évidence, il ne voulait pas de celle-là,

---

* En français dans le texte, de même que tous les autres mots ou expressions en italique suivis d'un astérisque.

pensait Flavia, tout en cherchant à deviner pourquoi elle avait dû quitter son lit. Ça ne rapporte rien, absolument rien, dans la *polizia* italienne, de s'empresser d'offrir ses services. On cesse aussitôt de vous prendre au sérieux. Le mieux, c'est d'attendre qu'un personnage important, un ministre, par exemple, vous sollicite ; alors, l'air angoissé, vous plissez les yeux parce que vous (ou votre service) êtes absolument débordé, avant de reconnaître, contraint et forcé, puisque personne d'autre n'est capable de régler une question aussi urgente, que vous pourriez peut-être mettre à profit votre compétence particulière. Uniquement parce que vous tenez M. le ministre en très haute estime, et pendant qu'on était sur le sujet, sans doute serait-il loisible à M. le ministre de vous aider à…

Quelque chose comme ça avait dû se passer, Flavia en était sûre. La seule question restant à résoudre était de comprendre en quoi cela la concernait. Elle avait sa petite idée. L'État italien vit d'ordinaire au-dessus de ses moyens ; son budget est grevé d'énormes déficits qui désolent tous ceux qui n'appartiennent pas au gouvernement. Périodiquement, une nouvelle équipe décide de s'attaquer au problème. De tels efforts font long feu, mais pendant six mois environ on met quelques projets au rancart, on pratique des coupes claires dans le budget de certains services, et on réalise des économies. Bientôt tout le monde se lasse, on revient à la normale et le déficit recommence à décrire sa spirale ascendante habituelle.

L'ennui, c'était qu'on se trouvait en plein milieu d'un

17

de ces accès d'austérité périodiques et que le service de police concurrent proposait des mesures d'économie destinées à faire disparaître celui de Bottando en chargeant des vols d'objets d'art, à l'échelon local, certains membres des *carabinieri*. Ce serait moins efficace et, en fin de compte, cela n'économiserait pas le moindre sou, mais Bottando savait fort bien que là n'était pas la vraie raison. Les carabiniers n'avaient jamais réellement admis que sa section ait été placée sous le contrôle de la police. En temps normal il n'aurait eu aucun mal à se débarrasser de ses rivaux, mais en ce moment il était soucieux. Ses ennemis avaient le vent en poupe. La date limite pour la présentation des budgets étant prévue huit jours plus tard, l'épreuve de force se rapprochait dangereusement.

« Est-ce que par hasard cela aurait quelque chose à voir avec le budget ? » demanda Flavia.

Elle poussa un gémissement quand Bottando hocha la tête.

« Oh ! non, je vous en supplie. Pas moi. Je suis débordée ! » s'écria-t-elle d'un ton désespéré, ses grands yeux bleus d'Italienne du Nord le fixant de l'air le plus pathétique qu'ils pussent prendre.

Mais c'était un homme inflexible.

« Désolé, chère amie. Je suis certain qu'on peut répartir vos tâches.

— C'était impossible quand je vous ai demandé un jour de congé vendredi. »

Bottando n'était pas du genre à se laisser impressionner par ces petits détails.

18

« Ça, c'était vendredi, fit-il remarquer avec raison, en écartant l'objection d'un revers de sa main potelée. Avez-vous déjà entendu parler du comité Tiziano ? »

Flavia travaillait avec lui depuis assez longtemps pour savoir rendre les armes quand la bataille était perdue.

« Évidemment. C'est un vaste programme gouvernemental financé par des fonds publics en vue de la rédaction d'un catalogue complet de tout ce qu'a produit Titien, y compris l'authentification de ses factures de blanchisserie. C'est un vrai projet de prestige, non ?

— Quelque chose comme ça, répondit son patron. Les Hollandais ont mis sur pied un programme similaire, et le ministre des Arts a décidé que, si quelqu'un devait jouir du prestige d'un mégaprojet international financé par des sommes colossales, ce devait être un peintre italien et non pas un barbouilleur de toiles tel que Rembrandt. C'est pourquoi on a monté une entreprise encore plus coûteuse pour Titien. Une demi-douzaine de spécialistes qui pompent en une année l'argent qui nous permettrait de vivre dix ans dans le luxe. Un travail d'équipe. Je ne sais pourquoi, mais, apparemment, en cette époque de bureaucrates, on considère que six opinions individuelles valent mieux qu'une. Ça crée une impression de plus grande exactitude. Personnellement, j'en doute. Ils travaillent comme des forcenés, produisent des catalogues de tableaux, de croquis, etc. Vous voyez ce que je veux dire…

— J'en ai entendu parler. Et alors ? »

Bottando la regarda d'un air quelque peu dubitatif.

« Et alors, fit-il en détachant les mots pour signaler

19

qu'il avait noté son manque d'enthousiasme, et alors ils ne sont plus que cinq désormais. En d'autres termes, le sixième membre de ce puissant comité international s'est fait trucider, voilà de quoi il s'agit. Et ça provoque quelques remous dans certains milieux. Autrement dit, le ministère des Arts, celui des Affaires étrangères et celui du Tourisme sont dans tous leurs états. Sans parler des autorités locales de la Vénétie et de la ville de Venise. Ça s'agite de tous côtés.

— Je comprends bien. Mais c'est du ressort des carabiniers du coin, n'est-ce pas ? Après tout, ils doivent en avoir l'habitude. Ce n'est pas la première fois que des étrangers meurent à Venise. On a même écrit des livres là-dessus.

— En effet. Mais ce n'est pas si souvent qu'ils se font assassiner. De toute façon, il a été décidé que les forces italiennes de la loi et de l'ordre ne doivent pas ménager leur peine pour démêler l'écheveau. Arrivée d'experts par avion, mise en œuvre de moyens à l'échelle nationale, tout le tralala. Et vous, chère amie, êtes l'instrument choisi pour montrer que le gouvernement prend très au sérieux cette menace contre la capacité de Venise à drainer l'argent des touristes.

— Moi ? s'exclama Flavia d'un ton mi-étonné, mi-agacé. Pourquoi diable m'envoyer, moi ? Je n'appartiens même pas à la police. »

Ce qui était la pure vérité, même si Flavia ne se rappelait cette évidence que lorsque ça l'arrangeait. Techniquement, elle n'était qu'enquêteuse, ayant résisté de toutes ses forces à la tentation de s'engager de manière

20

définitive. L'uniforme n'était pas de son goût. Ni, d'ailleurs, les retours impromptus à la discipline militaire qu'effectuait périodiquement la police, dans le but de rappeler à ses fonctionnaires qu'ils faisaient officiellement partie de l'armée.

« Justement ! rétorqua Bottando d'un air joyeux, ravi qu'à cette heure matinale elle eût déjà l'esprit si vif. Tout n'est qu'une question d'apparences, voyez-vous. En un mot, c'est de la politique. Les instances qui nous gouvernent ici souhaitent montrer qu'elles ne ménagent pas leur peine. Mais elles ne veulent pas prendre les autorités du cru à rebrousse-poil. C'est pourquoi on va envoyer quelqu'un de la brigade chargée des œuvres d'art qui soit, d'une part, capable d'aider grâce à ses connaissances, et, d'autre part, d'un rang subalterne afin d'éviter que les carabiniers vénitiens ne s'imaginent qu'on méprise leur compétence. Et tout ce processus aboutit à votre personne.

— Merci pour votre confiance ! » répondit Flavia, passablement vexée.

Ce qui était un peu illogique de sa part. Elle était entrée dans le bureau de Bottando en espérant qu'on n'allait pas la charger d'une enquête, et s'offensait de voir ses vœux exaucés. C'était, malgré tout, humiliant de se dire qu'on l'avait choisie pour cette mission parce qu'elle était complètement inoffensive.

« Je continue à penser qu'en ce qui me concerne il s'agit, ni plus ni moins, d'une perte de temps. »

Bottando haussa les épaules.

« Tout dépend de votre désir d'avoir du travail le mois

prochain », répliqua-t-il, non sans raison. C'était un argument pertinent.

« Bon, d'accord ! Si je ne peux pas faire autrement.

— Ne voyez pas les choses sous cet angle, lui conseilla Bottando d'un ton rassurant. C'est une merveilleuse occasion. Vous n'avez absolument rien à faire, et pour la peine vous gagnerez la reconnaissance de trois des ministres les plus puissants. Et il en ira de même pour la section, et c'est ce qui compte le plus en ce moment. En fait, cette mission peut se révéler déterminante si on mène bien notre barque. Prenez plutôt ça comme des vacances gratuites. Vous pouvez filer demain, passer la journée là-bas et être de retour dès mardi soir. De plus, autant qu'il m'en souvienne, Venise est particulièrement belle à cette époque de l'année.

— Il ne s'agit pas de ça ! » protesta-t-elle.

Vraiment, c'était extraordinaire à quel point il avait la faculté de ne faire aucun cas de la réalité lorsque ça l'arrangeait. Il savait fort bien qu'elle avait formé le projet de se rendre en Sicile. Venise était, certes, une ville charmante, mais ce n'était pas du tout l'endroit où elle avait envie d'aller. Mais il n'en avait cure.

« Vous serez obligée de rendre une petite visite à la police du coin, mais vous pouvez faire clairement comprendre que vous n'avez aucune intention de vous mêler le moins du monde de leur enquête », poursuivit-il, en redevenant tout à fait professionnel maintenant qu'il était sûr d'avoir gagné la partie. C'est ce qui se passait en général, mais il arrivait à Flavia de se rebiffer quand on lui donnait des ordres.

« Tout ce que vous avez à faire, c'est traîner ici et là, allonger votre note de frais, puis pondre un rapport parfaitement inoffensif dans lequel vous vous montrerez perspicace et brillante, tout en lavant chacun de l'accusation d'avoir été incapable d'arrêter l'assassin et en soulignant que vous êtes également parvenue à la conclusion que l'affaire n'était pas du ressort de notre section. La routine, quoi. Ça devrait résoudre le problème en douceur. »

Elle poussa un soupir sonore afin qu'il se rende compte du sacrifice auquel elle consentait pour le bien public. C'était un homme charmant, aimable, mais un peu butor à bien des égards. Elle le connaissait assez pour comprendre qu'il était inutile d'insister. D'accord, elle irait à Venise.

« Vous croyez donc qu'ils ne vont pas trouver le coupable ?

— Pas le moins du monde ! Je suis un peu dans le brouillard en ce qui concerne les détails, mais les premiers rapports donnent l'impression qu'il s'agit d'une agression qui a mal tourné. Je suis certain que dès votre arrivée sur les lieux vous apprendrez ce qui s'est passé. »

2

Le lendemain, lundi, lorsque en tout début de matinée le vol intérieur d'Alitalia commença sa descente vers l'aéroport Marco-Polo de Venise, Flavia avait fini par retrouver un semblant de bonne humeur, bien qu'une fois de plus elle ait dû se lever affreusement tôt pour prendre l'avion.

En toute autre circonstance, elle aurait été folle de joie de quitter son bureau surpeuplé, mal aéré et situé en plein centre de Rome. Après tout, Venise n'était pas *vraiment* un endroit désagréable pour y passer un jour ou deux. Puisqu'il ne s'agissait que d'un bref voyage, elle avait emporté le strict nécessaire, tout en se prémunissant contre l'imprévu. Pantalons, robes, jupes, chemisiers, chandails, une dizaine de livres. Cartes de Venise et des environs, horaires de trains et d'avions, manteau en prévision du froid, imperméable, s'il se mettait à pleuvoir. Chaussures de marche, souliers élégants au cas où, blocs de papier et carnets, quelques fiches de police, serviettes, robe de chambre, gants, torche électrique en cas d'urgence. Probablement ne porterait-elle, comme d'habitude, que des jeans et des pull-overs, mais deux précautions valaient mieux qu'une.

Pendant que l'avion effectuait son approche, elle en profita pour se recoiffer et remettre en ordre ses vêtements. Elle voulait faire bonne impression en débarquant à l'aéroport. Elle n'était guère coquette, en général, ayant la chance de pouvoir se le permettre. De toute façon, même si elle se repeignait avec grand soin, elle serait vite complètement décoiffée par le vent qui balayait toujours Marco-Polo. Mais Venise est un endroit qui exige un certain décorum. C'est une vieille et digne cité qui requiert le respect de la part de ses visiteurs ; il arrive même que, tombés sous le charme, certains touristes s'efforcent d'avoir l'air moins hideux qu'à leur habitude.

Dès le début, elle adopta le plan prévu. Bottando avait souligné qu'il importait qu'elle dépense le plus d'argent possible, et elle avait l'intention de suivre ses instructions à la lettre. La valeur de sa présence serait calculée au strict prorata du poids de sa note de frais, avait-il indiqué, et non pas en fonction du travail accompli. Dans le service, ses collègues les plus cyniques avaient nommé ce système « le ratio Bottando ». Pour que le gouvernement se persuade que la section avait participé activement aux efforts déployés en vue de résoudre cette lamentable affaire, il faudrait que la note soit salée.

C'est pourquoi, boudant le bateau-bus qui mène en ville, elle s'installa à l'arrière de l'un des longs bateaux-taxis vernis qui font la navette entre l'aéroport et l'île principale. Il n'existe au monde aucun trajet aussi magnifique entre un aéroport et la ville qu'il dessert. Au lieu d'un autobus qui se traîne sur une autoroute bondée ou d'un train qui traverse de désolantes zones industrielles, on navigue sur la lagune entre des îlots qui s'éboulent, jusqu'au moment où Venise elle-même émerge à l'horizon. À part le léger mal au cœur que lui donna la traversée, ce fut un merveilleux moment, surtout grâce à un temps parfait, malgré la présence de quelques nuages peu encourageants.

Le pilote, qui avec son tee-shirt noir, sa casquette et son foulard rouge autour du cou avait l'air d'un vrai loup de mer, manœuvrait avec adresse selon un itinéraire délimité par des pieux très anciens se dressant au-dessus de la surface chatoyante de l'eau. Il ne lui prêta guère attention, hormis le clin d'œil de rigueur et le sourire éclatant au moment où il l'aida à porter ses bagages et à monter à bord. L'autre occupant du bateau était davantage disposé à faire passer le temps. Fellini eût-il jamais décidé de tourner *La Ballade du vieux marin*, c'était l'acteur rêvé pour le rôle-titre. Sa tête ressemblait à un bout de bois rongé par la mer et il devait bien avoir plus de soixante-dix ans. De petite taille, les cheveux plus gris qu'il n'est permis, un râtelier atrocement mal adapté qui claquait dangereusement quand il souriait, le vieil homme donnait cependant l'impression de pouvoir, à mains nues, briser en deux des blocs de béton.

Il s'installa à côté d'elle à l'arrière, lui décocha des sourires radieux et cliquetants pendant plusieurs minutes, puis se lança dans sa distraction du matin.

Était-elle en vacances ? Allait-elle rester longtemps ? Rencontrer quelqu'un ? (Cette dernière question accompagnée d'un clin d'œil coquin.) Était-ce la première fois qu'elle venait à Venise ? Elle répondit avec patience. Les vieillards aiment parler, se plaisent dans la compagnie des jeunes, et, de plus, la curiosité du vieil homme était si sincère qu'on ne pouvait guère s'en formaliser. Il était, indiqua-t-il, le père du pilote et avait lui-même été gondolier à Venise toute sa vie. Maintenant il était trop vieux pour travailler, mais il aimait de temps en temps accompagner son fils.

« Je parie que vous n'aviez pas de bateaux comme ça lorsque vous aviez son âge, dit Flavia, surtout pour varier la teneur de ses propos, après une série de oui et de non.

— Ça ? s'exclama le vieil homme en plissant le visage au point que son nez disparut presque sous la surface, ça ? Vous appelez ça un bateau ? Pouah !

— Je le trouve pas mal, répondit-elle d'un ton évasif, consciente que ce n'était pas précisément la façon la plus navale de s'exprimer.

— Tape-à-l'œil et bruyant. Pas mieux fabriqué qu'un cageot pour transporter des oranges. Ils ne savent plus faire de bateaux. Ils ne savent plus rien faire de correct dans la lagune. »

Par-dessus l'eau miroitante, elle regarda vers l'île de Burano, à sa gauche, vit les mouettes tourbillonner dans le vent et aperçut au loin un pétrolier qui se dirigeait lentement vers le large en haletant. Sur le chemin de la ville, leur bateau créait une vague écumeuse en fendant l'eau vert sombre de la lagune.

« Apparemment, tout fonctionne bien, fit-elle.

— En apparence, d'accord. Mais ce ne sont pas les apparences qui comptent. Ils ont oublié le flux.

— Je vous demande pardon ?

— Le flux, ma jeune dame, le flux. Cette lagune est pleine de chenaux. C'est très complexe ; chaque chenal répond à une fonction de la nature. Dans le temps, on les ménageait. Aujourd'hui on ouvre d'énormes voies dans la lagune pour faire passer ce genre de truc. » Il fit un geste de rejet vers le pétrolier. « Si le vent et la marée vont dans un certain sens, tout est fichu en l'air. En un rien de temps. Le flux prend la mauvaise direction, les cochonneries remontent à la surface, ça déborde et le reflux laisse tout sur place. L'odeur est répugnante. Voilà ce qu'on gagne à vouloir jouer au plus malin. La cité baigne dans sa crotte à cause de leur bêtise. »

Il était bien lancé dans sa diatribe contre les iniquités du monde moderne lorsque son fils, jetant un coup d'œil par-dessus son épaule, et craignant manifestement pour son pourboire, se dirigea vers eux d'un pas tranquille. Flavia aurait préféré qu'il reste à son poste. Il n'y avait sans doute aucun risque à laisser un bateau fendre l'eau à grande vitesse sans guidage, mais elle se serait sentie davantage en sécurité s'il y avait eu quelqu'un aux commandes. Si sur la route elle conduisait comme une folle, elle devenait très pusillanime sur l'eau. Probablement parce qu'elle avait grandi sur les contreforts des Alpes.

Quelques ordres secs ayant envoyé le vieil homme enrouler des cordages ou effectuer la sorte de tâche qu'on est censé accomplir sur un bateau, Flavia se retrouva seule, libre d'observer le paysage. Subjuguée, elle commença à distinguer à l'horizon les premiers signes de Venise elle-même. Le campanile, puis la tour de San Giorgio, les briques effritées des Frari. De nouvelles embarcations – vaporetti, gondoles, lourdes péniches charriant des marchandises d'un endroit à un autre – apparurent sur l'eau ; puis, sur l'île principale, la brique fendillée et le stuc écaillé des bâtiments, au moment où le bateau-taxi contourna la pointe nord et mit le cap sur la place Saint-Marc.

Slalomant entre les autres embarcations, dans sa course en direction du quai, le pilote filait à une vitesse apparemment démentielle… Au tout dernier moment, il passa brutalement la marche arrière, fit pivoter le bateau, et accosta délicatement à l'endroit précis et avec un certain panache. C'était le résultat de nombreuses années de pratique. Flavia paya, laissa un généreux pourboire et gravit les marches menant à la riva degli Schiavoni, tandis que le pilote la suivait avec ses bagages.

Elle ne resta que quelques instants à la réception de l'hôtel *Danieli*. Là encore elle obéissait à la lettre aux instructions de Bottando. Ça n'arrivait pas souvent qu'on lui donnât pratiquement l'ordre de descendre dans l'hôtel le plus célèbre et le plus cher de l'Italie du Nord-Est, et elle était bien décidée à ne pas laisser passer l'occasion. D'ordinaire, le *Danieli* était bourré de riches Allemands et Américains ; il arrivait même que le hall gothique monumental ressemblât beaucoup à une gare routière, du fait du va-et-vient des foules de touristes énervés craignant d'être oubliés et des piles de bagages entassés aux quatre coins. Mais c'était la fin de la saison ; et, même si on en voyait toujours pas mal, les touristes avaient diminué en nombre, et ils étaient désormais devenus plus facile à gérer. Les employés étant par conséquent moins débordés que d'habitude, ils se montraient presque polis pour des Vénitiens.

La chambre était ravissante, le temps encore ensoleillé, et le lit extraordinairement moelleux. Tout ce qu'on était en droit de souhaiter en plus, c'était quelque chose à manger ; elle résolut de remédier sur-le-champ à cet état de choses. Le trajet depuis l'aéroport avait pris une bonne heure et largement empiété sur sa pause déjeuner. Elle se changea afin d'avoir l'air plus sérieux et professionnel, puis redescendit au rez-de-chaussée. Si Bottando lui avait appris quelque chose, c'est qu'à jeun il était impossible d'accomplir un solide et efficace travail de police. Elle demanda le chemin de la *questura* centrale à la réception, acheta un journal à la librairie pour se rendre compte de la manière dont la presse locale parlait du meurtre, puis alla prendre un repas solitaire mais copieux.

Rassasiée et l'estomac à peine un peu plus lourd, c'est aux environs de trois heures de l'après-midi qu'elle gravit lentement les marches de la questura. Le bâtiment était on ne peut plus vénitien. Il s'agissait manifestement de l'ancien palais d'un aristocrate très fortuné, mais l'édifice avait tellement perdu de sa gloire d'antan qu'il était tombé sous la coupe de l'État. Des pièces autrefois immenses et aux proportions harmonieuses avaient été divisées, puis subdivisées en petits réduits minables reliés par des couloirs encore plus sombres, mal tenus et déprimants. Quel que fût le budget de la police locale, une infime partie devait être consacrée à la décoration de son quartier général. Économies louables, sans aucun doute, mais quelle tristesse ! Leurs locaux à Rome étaient plus exigus, mais le don qu'avait Bottando de repousser le moment où il faudrait restituer les objets d'art volés qu'on avait récupérés (il alléguait toujours la paperasse pour conserver quelques mois encore les œuvres qu'il aimait particulièrement) rendait le décor bien plus agréable au regard. C'était très bon pour le moral du personnel, même si, sécurité oblige, Bottando avait tendance à garder les objets les plus précieux dans son bureau.

Après avoir erré pendant dix minutes à la recherche de sa destination, elle sentit sa bonne humeur de vacancière se dissiper rapidement. Elle se rembrunit encore plus quand, ayant été introduite chez le commissaire Alessandro Bovolo, elle découvrit, assis au bureau, le petit homme renfrogné qui continuait à lire ostensiblement des documents en faisant semblant de ne pas avoir remarqué son entrée. Mais, ayant pris la résolution d'agir en parfaite collègue, elle était décidée à lui donner sa chance. Aussi attendit-elle patiemment, se composant un masque de joyeuse insouciance. Le silence n'était brisé que par le reniflement intermittent de Bovolo, le froissement du papier et le fredonnement, léger mais fort étrangement agaçant, émis par la jeune femme. Enfin, Bovolo ne put plus supporter son talent musical limité. Il lâcha la liasse de feuillets qui paraissaient si passionnants, lissa ses cheveux raides filasse, puis leva les yeux de l'air d'un homme important qui ne souhaite pas être dérangé.

L'imagination la plus fertile n'aurait pu lui accorder le moindre attrait. La quarantaine bien tassée, il avait le visage mince, le nez légèrement pointu, la peau coupe-rosée et de petits yeux sans couleur bien définie. On ne pouvait pas dire grand-chose d'autre sur lui. Si, ayant par hasard remonté un gros hareng, l'un des pêcheurs de la lagune l'avait vêtu d'un costume gris froissé et installé dans un fauteuil, après lui avoir fait chausser des lunettes cerclées de métal, la ressemblance aurait été stupéfiante.

« Signorina di Stefano, dit-il enfin, en soulignant *signorina* trop fortement au goût de Flavia. La jeune et élégante spécialiste vient de Rome pour nous apprendre à attraper les assassins. »

Le sourire pâlot qui accompagna ces propos fit soupçonner à Flavia qu'il n'était pas transporté de joie à l'idée de faire sa connaissance. Elle n'avait pas la tête dure.

« De Rome, en effet. Spécialiste, non, répondit-elle en arborant pour l'occasion son sourire le plus charmeur et le plus désarmant. Quels que soient les exploits du service auquel j'appartiens, l'arrestation des assassins n'en fait guère partie.

— Alors qu'êtes-vous venue faire ici ?

— Je suis là seulement pour vous offrir mon aide au cas où vous le souhaiteriez. Après tout, nous connaissons très bien le milieu de l'art. Le général Bottando était très enclin à croire que mon concours ne serait pas nécessaire. Mais le ministre ayant insisté, me voilà ! Vous connaissez les ministres…

— Et je suppose que vous allez repartir dans quelques jours pour rédiger un rapport sur nous, déclara-t-il, une touche d'ironie mêlée de soupçon dans la voix. Pour essayer sans doute de sauver votre tête. »

Tiens, tiens ! Le téléphone arabe des carabiniers fonctionnait avec son efficacité habituelle. Bovolo avait probablement appris que Bottando était acculé et il ne semblait pas avoir l'intention de lever le petit doigt pour l'aider. C'est ce qu'elle craignait et elle s'était préparée du mieux possible à cette éventualité.

« J'espérais vous demander un service à ce sujet, dit-elle d'un ton complice. Puisque, en tant que personne ayant la haute main sur l'affaire, vous serez au courant de tous ses aspects, je me demandais – bien que je sache à quel point vous devez être occupé en ce moment – s'il vous serait loisible de me préparer ce rapport. De la sorte nous pourrions éviter des erreurs inutiles… »

Elle refit un charmant sourire et comprit qu'il avait saisi l'allusion. Elle lui offrait la chance de dicter pratiquement ce que contiendrait – ou ne contiendrait pas – le rapport. C'était une splendide proposition, à son avis. Si ça ne l'amadouait pas, rien ne le ferait. Et, naturellement, une fois rentrée à Rome, elle pourrait toujours ajouter des appendices et des notes.

« Voyez-vous, répondit-il, je ne suis pas certain d'approuver que mes services fassent votre boulot, mais peut-être est-ce la meilleure façon de s'assurer que tous ces fouineurs de bureaucrates reçoivent un compte rendu exact. »

Il hocha la tête, le visage radieux, en pensant aux louanges choisies qu'il pourrait s'adresser à certains points stratégiques.

« Oui, reprit-il, la mine bien plus réjouie, c'est sans doute très raisonnable. Mais je ne veux pas que vous demeuriez ici dans nos jambes, vous savez. Nous sommes très occupés, nous manquons de personnel et nous avons mieux à faire que de nous soucier du meurtre d'une étrangère qui n'a pas eu le bon sens de rester sur ses gardes. »

Ce n'était pas, à l'évidence, le genre d'homme qui savait accepter un cadeau de bonne grâce.

« Je m'en doute bien, répondit Flavia, un rien troublée, mais contente, malgré tout, d'avoir apparemment accompli quelques progrès. Et je me ferai un plaisir de vous aider de la manière qui vous agréera le plus.

— Eh bien ! voyons…, commença-t-il d'un air dubitatif, cherchant manifestement quelque tâche tout à fait insignifiante, je suppose que vous êtes du genre diplômée. Que vous parlez les langues étrangères. »

Son ton sous-entendait qu'il s'agissait d'une aptitude peu convenable.

Flavia avait de plus en plus de difficulté à garder sur les lèvres son sourire niais. Elle espérait que les manières de l'homme allaient s'améliorer avant que ses réserves limitées de tolérance ne s'épuisent complètement.

« Peut-être pourriez-vous parler à certains de ses collègues ? poursuivit-il, sans remarquer la tension croissante des muscles faciaux de la jeune femme. C'est superflu, bien sûr, vu que nous sommes déjà sur la piste du coupable. Mais ça montrera que nous avons examiné la question sous toutes ses facettes. Vous pourriez avoir de brefs entretiens avec eux, parcourir le dossier et rentrer à Rome demain. C'est bien demain que vous repartez, n'est-ce pas ? ajouta-t-il, craignant de deviner quelque affreuse complication.

— Oui. Ou après-demain. Et je serais ravie de leur parler. Mais ne l'avez-vous pas déjà fait ? demanda-t-elle, un peu surprise.

— Oui, évidemment, s'empressa-t-il d'acquiescer. Bien sûr. En effet. Des interrogatoires détaillés. Mais je suis certain que ça ne ferait pas de mal de revoir ces personnes. Ça vous occupera et comme ça vous ne nous gênerez pas.

— Eh bien, dans ce cas, reprit-elle vivement, cessant de sourire, vu que ça ne lui rapportait pas grand-chose, peut-être pourriez-vous m'indiquer de quoi il retourne. Les détails qu'on a reçus à Rome étaient très vagues. Personne ne sait là-bas ce qui s'est passé, ni les circonstances du meurtre. Ça m'aiderait de l'apprendre. Si, naturellement, vous avez le temps de m'en informer. »

Bovolo fit pivoter ses petits yeux de poisson dans sa direction, sans savoir au juste si la jeune femme était polie ou si elle se moquait de lui.

« Hum ! grogna-t-il, toujours aussi aimable. Ah ! bon… Pourquoi pas ? Il se pourrait même qu'un point de vue extérieur apporte quelque chose. »

Il était évident qu'il n'en croyait rien, mais, en tout cas, il faisait un effort pour être courtois. Flavia essaya d'avoir l'air flatté.

« La victime s'appelait, commença-t-il après avoir fouillé pendant un bon bout de temps dans les liasses de papiers qui couvraient son bureau, Louise Mary Masterson. Elle avait trente-huit ans, était célibataire et citoyenne américaine. Elle habitait New York et était conservatrice d'un département d'art occidental dans un musée de la ville. Un mètre soixante et onze, et en bonne santé. Elle a rejoint le comité Tiziano il y a dix-huit mois. Ce devait être sa deuxième session. Le comité se réunit chaque année à Venise, aux frais du contribuable. Elle est arrivée lundi dernier et la réunion a débuté jeudi après-midi. Elle a raté la première séance mais elle était présente à celle du vendredi. La mort a eu lieu, dans la mesure où les médecins peuvent le déterminer avec certitude, le soir même, autour de vingt et une heures trente. »

Il parlait comme une mitraillette, sans cacher qu'il n'avait pas la moindre intention de la mettre au courant correctement. Il faisait un vaillant effort, au contraire, pour cracher le maximum de faits en un minimum de temps de façon à se débarrasser le plus vite possible de cette pénible intruse. Flavia n'interrompit pas le flot de paroles : pour l'instant, sa tirade ne présentait aucune donnée qu'elle eût envie d'approfondir.

« Le corps a été découvert dans les Giardinetti Reali. Ça se trouve, soit dit en passant, entre la place Saint-Marc et le Grand Canal. Elle avait travaillé tard à la bibliothèque Marciana qui est située à deux pas de là et avait, à l'évidence, été faire une promenade. Tous les transports publics ayant déclenché une grève surprise, il se peut qu'elle ait été en train d'attendre un taxi pour rentrer. On l'a découverte dans une serre : elle avait reçu sept coups d'un couteau long de dix centimètres. Genre canif. De l'armée suisse, peut-être. Cette sorte-là. Une fois à la gorge, quatre fois dans la poitrine, une fois à l'épaule et une fois au bras. Aucun n'aurait été fatal si elle avait été secourue à temps, mais on l'a sans doute aucun traînée à l'intérieur de la serre pour qu'elle n'ait aucune chance de l'être.

— Donc, elle a perdu presque tout son sang ?

— En gros. Une façon ignoble de mourir, je dois dire. L'endroit est extrêmement calme. Partout ailleurs, quelqu'un l'aurait découverte. C'est à peu près tout, hélas ! Aucun de ses collègues ne sait ce qu'elle fabriquait là, et personne, à notre connaissance, ne l'a vue dans le jardin. Il n'y avait pas beaucoup de monde dehors à cause de cette sale grève. Il s'agit sans conteste d'un meurtre. Mais commis par qui et pour quel motif, nous n'en savons rien.

— Des soupçons ?

— Ah ! Eh bien, voyons… Des soupçons, on en a, pour sûr. Et plus que ça. Il s'agit sans doute d'un simple vol qui a mal tourné. Il n'y avait aucun indice de viol, et sa serviette avait disparu. Ce n'est pas un crime commis par un Vénitien, de toute évidence. Plutôt par un Sicilien, ou quelque autre étranger, à n'en pas douter. »

Flavia décida de ne pas relever ces scandaleux propos. Elle, elle ne considérait pas ses compatriotes du Sud comme des étrangers et elle ne jugeait pas les Vénitiens incapables de perpétrer un crime. Mais à quoi bon indisposer son interlocuteur ?

« Pas d'autres signes ni indices suggérant ce qui a pu se passer ? »

Bovolo haussa les épaules de l'air de celui qui, ayant dit ce qu'il avait à dire, considère que toute discussion supplémentaire devient superflue. Ils avaient cependant un accord tacite : elle s'abstiendrait de toute critique et lui se prêterait à ses caprices. Tout en continuant à parler, il poussa quelques papiers sur le bureau pour qu'elle les examine.

« Vous trouverez là tout ce que nous avons appris sur ses déplacements avant son décès. Il n'y a rien d'extraordinaire. À part ses collègues, elle ne connaissait personne à Venise ; quand elle ne travaillait pas en bibliothèque, elle passait pratiquement tout son temps sur l'Isola di San Giorgio, soit dans sa chambre, soit avec ses collègues pour prendre les repas ou assister aux séances du comité. Voici, poursuivit-il, juste au moment où Flavia s'apprêtait à dire que ces détails lui paraissaient fort maigres, des photos de la victime. »

Elle les fixa avec attention, plus par désir de paraître agir en professionnelle que parce qu'elle souhaitait les étudier. Y jeter un simple coup d'œil lui donnait déjà presque le sentiment de violer l'intimité de cette femme.

Même morte, Louise Mary Masterson lui apparut comme une femme assez remarquable. Traits réguliers sous les salissures du maquillage. Les vêtements, en désordre et tachés de sang, étaient à l'évidence d'excellente qualité, quoique d'un style un peu trop bourgeois et austère aux yeux de Flavia. Un gros plan montrait une main serrée autour de quelques fleurs, sans aucun doute saisies par la victime au moment de mourir. Il y avait quelque chose d'autre que Flavia ne parvenait pas à identifier.

« Et ça, qu'est-ce que c'est ?

— Un lis, répondit Bovolo.

— Pas la fleur. Ceci. » Elle désigna l'objet.

« Une croix. En or. Accrochée à une chaîne en argent.

— Ça doit avoir une certaine valeur. J'aurais cru qu'un voleur s'en serait emparé. »

Bovolo haussa les épaules d'un air vague.

« Peut-être bien que oui. Peut-être bien que non. Il est probable qu'elle s'est débattue pour la garder, que c'est la raison pour laquelle il l'a tuée. Alors, pris de panique, il s'est enfui. Ou il est possible qu'il ne voulait que de l'argent liquide. Après tout, c'est moins risqué.

— Qu'est-ce qu'il y avait dans son sac ?

— Papiers professionnels, porte-monnaie, passeport, ce genre de choses, autant qu'on puisse le déterminer. »

Il tendit une autre liste et plusieurs photocopies.

Flavia réfléchit quelques secondes. Elle croyait beaucoup aux premières impressions, aux intuitions fugaces qui faisaient prendre à Bottando sa mine de martyr. Il aimait qu'on suive la procédure officielle et essayait depuis toujours de la convaincre des mérites de cette attitude. C'était compréhensible : il était policier et cette manière d'agir faisait partie de son boulot. N'appartenant pas à la police, elle préférait l'imagination – qui réussissait tout aussi souvent que la foi qu'il accordait au train-train habituel. Elle avait cependant tout intérêt à montrer son respect des méthodes.

« Pas d'empreintes de pas, ou ce genre de traces ?

— C'est un jardin public ! fit-il d'un ton railleur. Les touristes le piétinent constamment ; ils traitent l'endroit comme une poubelle. La berge était absolument répugnante. Savez-vous combien de boîtes de métal vides et de sandwichs à moitié mangés mes hommes ont dû ramasser ? »

Elle n'avait aucune envie d'entendre une longue diatribe contre les sales habitudes des touristes. En plus du fait que Bovolo aurait sans doute voulu interdire la ville à tous les étrangers, vivant à Rome elle connaissait bien le problème.

« Je me disais seulement que si on l'avait traînée à l'intérieur d'une serre il serait resté des traces à proximité.

— Eh bien ! non. Pas de récentes, en tout cas. L'été a été très sec et le sol est très dur. Il y a des semaines qu'il n'a pas plu. Avec un peu de chance, ça ne saurait tarder maintenant et ce ne serait pas du superflu. Naturellement, vous pouvez vous amuser à aller vérifier vous-même si vous croyez mieux réussir que nos techniciens

41

spécialisés, qui étudient ce genre de choses depuis des années… »

Flavia eut un hochement de tête laissant entendre qu'il n'était pas exclu qu'elle mette ce conseil en pratique. Ce n'était nullement dans ses intentions, mais comme, à l'évidence, cela agaça Bovolo, c'était très bien.

Il n'y avait pas grand-chose pour séduire son imagination, il fallait l'avouer. Pourtant les photos de cette femme l'intéressaient étrangement. Que peut-on déduire de photographies ? Fort peu, bien sûr, mais on avait le sentiment que Louise Masterson avait pu être une personne plutôt compliquée. Elle s'habillait de la manière pratique et austère qu'affectionnent souvent les Américaines, dépourvue de la féminité qu'une Italienne dans sa position aurait sans doute soulignée. Son visage révélait également une grande détermination. Mais là, on percevait quelque ambiguïté. Sous l'air décidé se lisait une certaine douceur, surtout autour des yeux, qui contredisait le ferme modelé des lèvres. On avait le sentiment qu'elle cherchait à paraître plus impitoyable qu'elle ne l'était par nature. Il se pouvait qu'elle ait été d'un caractère tout à fait agréable si l'on était parvenu à faire tomber le masque.

Flavia sourit en pensant à la façon dont Bottando se serait moqué de ces déductions fondées sur absolument rien du tout. Un simple coup d'œil à Bovolo suffit à la convaincre qu'il appartenait à la même école.

« Vous avez déterminé le lieu de résidence de tous ses collègues, j'imagine ? » demanda-t-elle.

La réaction de Bovolo indiqua de nouveau qu'il ne

42

savait pas si Flavia faisait preuve de courtoisie ou d'ironie, mais qu'il soupçonnait le pire.

« Cela va sans dire ! » lança-t-il avec hauteur en s'emparant d'une nouvelle liasse de feuillets.

Plaçant ses lunettes à l'extrémité de son nez, il étudia les documents avec attention, comme s'ils avaient pu se modifier en cinq minutes.

« Ils ont tous fourni une version parfaitement plausible de leur emploi du temps. Et, avant que vous ne posiez la question, je vous informe que nous avons également examiné leurs vêtements chez eux sans trouver la moindre tache, ni le moindre poignard ensanglanté, ni de journal contenant des aveux complets. Les Prs Kollmar et Roberts se sont fourni mutuellement un alibi, puisqu'ils étaient ensemble à l'Opéra. Le Pr Van Heteren dînait avec des amis près de la gare. M. Lorenzo, docteur en histoire de l'art lui aussi, se trouvait chez lui ; des domestiques et des amis peuvent en témoigner. Ces quatre personnes résident sur l'île principale et non pas à la fondation. Il ne reste plus que le Pr Miller.

— Parlez-moi de lui, alors. Je crois comprendre qu'il n'a pas de témoins ? »

Bovolo opina du chef.

« En effet. Pendant un moment on a, nous aussi, fondé beaucoup d'espoirs là-dessus. Cependant il se trouvait sur l'île sans aucune possibilité de la quitter à cause de la grève. Il est allé à la cuisine juste après vingt-deux heures demander de l'eau minérale pour prendre un somnifère, l'a avalé tout en bavardant avec quelques employés, avant de retourner immédiatement se coucher.

— Il reste quand même la seule personne qui n'a aucun témoin attestant l'avoir vue à l'heure du crime ?

— C'est vrai. Mais le portier est prêt à jurer que personne n'est parti ni arrivé après dix-huit heures environ. Si Miller se trouvait sur l'île à vingt-deux heures, il s'y trouvait à vingt et une heures. Et si c'est le cas, il n'a pas tué cette femme. En outre, ce sont tous des gens très comme il faut et sans le moindre mobile. Il s'agissait d'une équipe de recherche très harmonieuse et non d'une branche de la Mafia. »

Flavia hocha la tête d'un air pensif.

« Par conséquent, ayant éliminé tous ses collègues, vous en concluez que le meurtrier est un maraudeur solitaire. »

Bovolo acquiesça d'un signe de tête.

« Et nous nous en tenons à cette hypothèse, sauf si vous en proposez une autre, insista-t-il d'un air de défi.

— Et ça, qu'est-ce que c'est ? s'enquit-elle en désignant brièvement une autre enveloppe.

— Ça ? C'est juste son courrier. On l'a porté à sa chambre ce matin et nous l'avons saisi. Nous pensions qu'il aurait pu être significatif, mais ce n'est pas le cas. Prenez-le si ça vous chante et consultez-le. Il ne s'agit que de questions d'art. »

Elle feuilleta les documents. Des circulaires, des notes de service envoyées par son musée, une lettre d'une agence de photos, ainsi que deux factures. Rien de passionnant. Elle les ajouta à la pile.

« Pourtant, reprit Flavia qui n'était pas complètement satisfaite, ça paraît bizarre de se donner tant de peine pour lui arracher du cou une croix en or et de finir par la laisser sur place. Au fait, était-elle catholique ? »

Il secoua la tête.

« Je ne crois pas. Vous connaissez ces Américains… Ils donnent tous l'impression d'être des fanatiques religieux. »

Une autre nation à rayer des listes. On ne pouvait pas dire que c'était le genre d'homme ouvert qui sait apprécier la diversité des cultures humaines.

« Faites des copies de tout ça si le cœur vous en dit, déclara-t-il, dans un accès soudain de générosité confraternelle, en esquissant un geste en direction des rapports de police concernant l'affaire. Pas des photos, cela va sans dire, mais de tout le reste. Du moment que vous nous les rendez sans les montrer à quiconque. Ces documents sont confidentiels, vous savez. »

Pourquoi avoir accepté ce fatras de papiers ? se demanda la jeune femme après avoir serré la petite main moite de l'inspecteur, tout en se dirigeant à pas lents vers le *Danieli*. Il était clair que Bovolo les considérait comme inutiles, autrement il ne lui aurait pas permis de les emporter. Elle commençait à éprouver un vague intérêt pour ce crime, malgré les ordres de Bottando lui ayant interdit de s'en mêler le moins du monde. Cela venait peut-être du visage de cette femme. Il n'exprimait aucune frayeur. Ce n'était pas le visage de quelqu'un qui succombe au cours d'une agression. Si on pouvait y lire un sentiment, c'était la détermination. Et l'indignation. Pour une raison ou pour une autre, ça ne s'accordait pas du tout avec la théorie de Bovolo, celle d'un vol ayant mal tourné.

3

Attablé dans un restaurant de la piazza Manin, Jonathan Argyll tentait, sans grand succès, de cacher que le
message le contrariait et que le messager lui déplaisait.
Ce n'était pas facile. Une fois de plus, il était dépassé par
les événements, et il commençait à éprouver la sour-
noise sensation que, malgré tous ses efforts pour gagner
honnêtement sa vie en le pratiquant, la nature ne l'avait
pas vraiment destiné au métier de négociant en objets
d'art. Il savait très bien comment il était censé agir :
coller l'oreille au sol pour écouter les ragots de la profession, fréquenter les bibliothèques pour repérer les
bonnes occasions, présenter avec doigté aux propriétaires une offre qu'en théorie ils s'empresseraient
d'accepter. Facile. Et il s'en tirait assez bien, sauf en ce
qui concernait la dernière étape. Pour une raison ou
pour une autre, les propriétaires des tableaux ne paraissaient jamais aussi désireux de se séparer de leurs biens
que la théorie le promettait. Peut-être lui manquait-il
encore un peu d'expérience, comme le suggérait son

employeur. Quand il était en forme, c'est ce qu'Argyll se plaisait à croire. Lorsque les choses tournaient mal, comme ce jour-là, il était davantage enclin à penser qu'il n'était pas fait pour cette profession.

« Mais signora Pianta, pourquoi ? demanda-t-il dans un italien écorché seulement par la note perceptible de lassitude et de désarroi. Si les conditions n'étaient pas acceptables, pourquoi diable ne l'a-t-elle pas dit le mois dernier ? »

Décatie, fielleuse, la vieille horreur à tête de vautour lui adressa un sourire crispé, sans la moindre aménité. Elle avait un nez crochu d'une taille démesurée qui s'incurvait vers le bas presque à la façon d'un sabre. Au fur et à mesure que le repas avançait et que la qualité de la conversation se détériorait, Argyll s'apercevait que la monstrueuse protubérance l'obsédait. Il n'avait guère prêté attention à son physique particulièrement repoussant avant que la Pianta ne lui réclame davantage d'argent, mais le choc avait aiguisé ses sens. Il est vrai qu'il n'avait jamais aimé traiter avec elle, et il trouvait de plus en plus pénible de se forcer à être courtois.

C'était très irritant. Surtout qu'il s'était fort bien entendu avec la vieille *marchesa*. Celle-ci était une femme énergique et rusée, aux yeux encore brillants dans son vieux visage ridé, douée d'un bizarre sens de l'humour et animée du très louable désir de se défaire de plusieurs tableaux. Dans l'ensemble, tout s'était plutôt bien déroulé. Puis elle était tombée malade et, naturellement, cela avait altéré son humeur. Depuis que son assistante – dame de compagnie, comme elle aimait à se décrire – avait pris les choses en main, les négociations avaient connu des soubresauts et des ratés. Maintenant elles semblaient sur le point de capoter.

« Comme je vous l'ai déjà indiqué, c'est tout à fait inutile. Nous avons beaucoup d'expérience dans ce domaine. »

Quelle plaie, cette femme ! Pendant toute la soirée elle avait fait d'étranges allusions cryptiques, si bien qu'il avait fini par lui demander de cesser de tourner autour du pot et de déclarer ce qu'elle souhaitait en plus de la modification du contrat en faveur d'un pourcentage sur le prix de vente au lieu d'une somme fixe. Ça, il pourrait s'en arranger, même s'il regrettait qu'elle n'eût pas choisi cette option plus tôt.

C'était l'autre petit détail qui l'avait choqué. « Faites sortir les tableaux en fraude, avait-elle dit. Oubliez les licences d'exportation, les règlements officiels et toutes ces bêtises ! Fourrez-les dans le coffre d'une voiture, passez en Suisse et vendez-les ! Allez-y ! »

Rien de réellement inhabituel à ça, bien sûr. Chaque année, des milliers de tableaux quittent l'Italie de cette manière et certains de ses collègues peu scrupuleux gagnent gentiment leur vie en se servant de passeurs. Mais, comme Argyll le souligna avec force, la galerie Byrnes ne fonctionnait pas de cette façon. On suivait les règles tout en sachant aiguillonner les autorités. En outre, la valeur des œuvres étant moyenne – tableaux de famille, paysages médiocres, portraits anonymes, etc. –, aucune difficulté n'était à prévoir. Certes, la somme qu'il avait offerte n'était pas élevée, mais les peintures ne valaient pas davantage. Une fois les tableaux payés, transportés en Angleterre, nettoyés, restaurés, la vente leur laisserait, à son employeur et à lui-même, un bénéfice correct. Mais si l'on calculait le temps passé, au taux horaire il pouvait sans doute gagner davantage en vendant des hamburgers dans un fast-food.

Son refus sans appel la contrariait. Dans ce cas, dit-elle, il devait s'engager à payer toutes les taxes d'exportation et tous les frais d'enregistrement. Bien qu'il ne parvînt pas à déterminer si elle parlait sérieusement ou s'il ne s'agissait que d'une ruse pour l'amener à accepter sa demande, il fut catégorique.

« J'ai fait tous les calculs. Avec ce pourcentage, il nous serait impossible de vendre les tableaux et de régler les dépenses, tout en réalisant un bénéfice. Cela revient à annuler notre accord. »

Mme Pianta sourit en dégustant le café qu'Argyll allait payer, semblait-il. Ce repas destiné à conclure une transaction amiable n'était plus qu'une coûteuse perte de temps. Au début, il avait éprouvé une certaine sympathie pour cette femme qui occupait la place peu enviable de dame de compagnie de l'acerbe marquise. Mais ce sentiment se dissipait très vite.

« J'en suis désolée, affirma-t-elle hypocritement. Mais j'obéis aux instructions. Et étant donné que d'autres s'intéressent aux tableaux… »

Cette dernière remarque le décontenança. Qui diable pouvait s'y intéresser ? Allait-il se trouver entraîné dans une bataille d'enchères pour ces trucs-là ? Si c'était le cas, ça n'en valait vraiment pas la peine. S'il n'avait pas été obligé de fournir de temps en temps des tableaux à Edward Byrnes à Londres pour justifier son salaire, il aurait laissé tout en plan et serait rentré à Rome.

« Ah ! très bien, fit-il à contrecœur, je vais y réfléchir et je vous appellerai demain. »

Calme et professionnel, pensa-t-il. Ne pas se laisser démonter. Les faire poireauter. Ça ne sert probablement à rien, remarquez…

À partir de là et jusqu'à la fin du repas il s'efforça de rester serein et courtois. Il fit tout ce que les convenances dictaient : grinçant des dents en silence, il régla l'addition, aida son invitée à enfiler son manteau, l'accompagna jusqu'à la porte… Il était en train de lui faire le baisemain – ce geste produisait toujours de l'effet, même lorsqu'il était immérité – quand il entendit une petite toux émise par quelqu'un se trouvant juste derrière lui sur le *campo*.

Il se retourna et sa mauvaise humeur s'envola dès qu'il reconnut la jeune femme qui se tenait là, appuyée sur la jambe gauche, les bras croisés, une expression de dédain amusé sur le visage.

« Mais qu'est-ce que tu fabriques à Venise ?

— Rien d'amusant, contrairement à toi, semble-t-il », répondit Flavia.

Argyll, presque toujours déconcerté par l'imprévu, bredouilla des présentations assez gauches.

« Flavia di Stefano, de la brigade romaine chargée du patrimoine artistique », conclut-il.

La Pianta ne fut pas impressionnée. En fait, elle ne salua la jeune femme que d'un bref signe de tête, à la

51

manière de quelqu'un qui ne considère pas les fonction-naires de police comme des membres respectables de la société, et jeta un regard désapprobateur sur ses vête-ments négligés – notamment sur les bottines marron qui avaient besoin d'un bon coup de cirage – avant de cesser totalement de lui prêter la moindre attention. Ayant remercié Argyll de son invitation d'un ton glacial, qui ne tenait aucun compte du prix du repas, elle s'en alla.

« En voilà une charmeuse ! » s'exclama Flavia tandis que la vieille femme s'éloignait.

Argyll se frotta le nez en signe d'agacement et de contrariété.

« Tu n'as pas eu l'heur de lui plaire, on dirait… Mais elle n'a rien contre toi, en fait. C'est peut-être parce qu'elle vient de me demander d'enfreindre la loi. D'ailleurs, elle ne m'aime pas non plus, et je viens de l'inviter à dîner… »

Il y eut un long silence. Il la regardait d'un air affec-tueux qu'elle prenait toujours pour une expression de malaise. C'était d'ailleurs le cas. Il ne savait jamais très bien comment réagir vis-à-vis d'une personne qui était à la fois d'un tempérament volcanique et très calme et détachée. Les différents éléments ne paraissaient jamais s'emboîter, ou, plutôt, il ne parvenait jamais à déter-miner où se trouvaient les jointures.

« Mais qu'est-ce que tu fais donc ici ? finit-il par rede-mander. Tu ne peux pas savoir à quel point je suis heureux de te voir. Un visage ami, comme on dit…

— Merci », répondit-elle poliment, tout en se disant que son séjour à Rome ne l'avait pas changé.

Si lui ne la comprenait pas, pour elle aussi il restait un mystère. L'affection discrète, quoique évidente, qu'il lui portait la déconcertait quelque peu. À son avis, de deux choses l'une : ou bien il l'oubliait, ou bien il la prenait dans ses bras. Ça lui était égal. Mais ne faire ni l'un ni l'autre semblait révéler un caractère indécis.

« Je dois passer ici deux jours pour une affaire. En quelque sorte. Pas passionnant.

— Ah bien !

— Et toi ?

— Je suis en train de perdre mon temps, apparemment.

— Ah bien ! »

Il y eut un autre silence. « Tu veux m'en parler ? demanda-t-elle enfin. J'ai l'impression que tu as quelque chose sur le cœur. »

Il lui jeta un regard de biais plein de reconnaissance.

« Oui, fit-il. J'aimerais bien. Tu meurs de faim, j'imagine ? »

Elle opina de la tête avec force.

« En effet. Comment le sais-tu ?

— J'ai deviné. Allez, viens ! Je vais prendre un café pour t'accompagner. J'adore voir une professionnelle à l'œuvre. »

Ils rentrèrent dans le restaurant et s'assirent à la table qu'il venait de quitter.

« Même endroit, mais meilleure compagnie », déclara-t-il en s'efforçant de faire un sourire séducteur ; le résultat fut plus réussi que la fois précédente.

Tandis que Flavia goûtait, avec sa diligence

méthodique habituelle, la plupart des plats de la carte, Argyll lui fit un condensé de ses diverses tribulations. Flavia ne sut trop que répondre. À son avis, l'affaire avait échoué et, raisonnablement, il ne lui restait plus qu'à rentrer à Rome. Mais elle s'efforça de paraître optimiste. Elle lui conseilla de demeurer à Venise quelques jours de plus. Après tout, on ne savait jamais. Il pourrait toujours faire un brin de contrebande.

Argyll fut absolument choqué.

« Et tu es dans la police par-dessus le marché ! J'ai honte pour toi.

— Ce n'était qu'une idée.

— Très peu pour moi ! Je vais persévérer quelques jours encore en employant des moyens légaux, et puis je laisserai tomber. Ce que je vais faire, dit-il avec un regain d'enthousiasme, c'est essayer de renouer demain le contact avec la marquise, sans intermédiaire. Droit au sommet. Ça peut marcher. »

Il bâilla, s'affala contre le dossier de sa chaise et s'étira.

« Bon, ça suffit. J'en ai marre d'entendre parler de ces satanés tableaux. Amuse-moi ! Qu'est-ce qui se passe de beau à Rome en ce moment ? »

C'était une façon de souligner que, alors qu'ils habitaient la même ville, ils ne s'étaient pas vus depuis pas mal de temps. Il en souffrait, et lui aussi manquait à Flavia. Mais, comme elle le lui fit remarquer, il s'était absenté et elle avait été très occupée. Les temps étaient durs, et tant que Bottando devrait se battre pour sauver son service, la pression ne se relâcherait pas.

« En fait, conclut-elle, l'unique raison pour laquelle je

suis ici c'est qu'à Rome tout le monde est en effervescence et que Bottando est en train de comploter.

— Comme d'habitude, hein ? »

Leurs opinions différaient à ce sujet. Pour le jeune Anglais, les constantes manœuvres de Bottando révélaient son caractère de manipulateur invétéré. Tout en respectant énormément l'aimable Italien, il pensait vaguement que le temps du général eût été mieux occupé à attraper les criminels. De son côté, Flavia soutenait le point de vue de Bottando selon lequel l'efficacité ne servait à rien si, par suite de manigances politiciennes, tout le service disparaissait. Elle aurait simplement souhaité qu'il ne l'implique pas si souvent dans ses manœuvres.

« Cette fois-ci, c'est du sérieux, dit-elle en fronçant les sourcils. On est en pleine bagarre. J'espère seulement qu'il pourra nous tirer d'affaire.

— Je suis sûr qu'il y parviendra. Après tout, il possède une immense expérience. Je suppose que tu es à Venise pour l'affaire Masterson dont j'ai entendu parler par les journaux ? »

Flavia hocha la tête d'un air absent.

« Alors, qui l'a zigouillée ?

— Comment est-ce que je le saurais ? La police du cru pense qu'il s'agit d'une agression pour vol. C'est possible. Ça ne me regarde pas, de toute façon. Je ne suis ici que pour apporter un semblant de respectabilité, suivre toute piste ayant quelque chose à voir avec l'art, et rapporter des lauriers pour le service qui en a bien besoin en ces temps difficiles. Est-ce que, par hasard, tu

55

saurais quelque chose sur (elle s'interrompit pour sortir la lettre et vérifier le nom) l'*Agenzia Fotografica Rossi* ? demanda-t-elle afin d'aborder un sujet moins douloureux.

— Agence éminemment respectable. Petite entreprise bolonaise qui archive des documents photographiques. Souvent utilisée par les historiens de l'art qui recherchent des photos pour illustrer des livres. Pourquoi ?

— Aucune raison précise. C'est seulement parce qu'une lettre de leur part est arrivée ce matin pour cette femme. J'ai pensé agir avec méthode en vérifiant de quoi il s'agissait. Quelque chose pour étoffer mon rapport », ajouta-t-elle tandis qu'Argyll lui prenait la lettre des mains et se mettait à la lire.

Il est rare de pouvoir affirmer qu'on a vu quelqu'un tomber à la renverse, surtout lorsque cette personne est assise ; et la plupart des gens n'ont guère l'occasion de voir quelqu'un changer de couleur. Par conséquent, Argyll permit à Flavia de connaître deux nouvelles expériences en l'espace de quelques secondes. Elle crut un moment qu'il allait choir de sa chaise. Et de rose son teint devint livide, avant de prendre une couleur verdâtre mouchetée, au fur et à mesure qu'il parcourait la lettre. Ou pour être plus précis pendant qu'il la fixait des yeux, bouche bée.

« Mais, diable ! qu'est-ce que, commença-t-il d'un ton qui annonçait la crise de nerfs, qu'est-ce que tu fabriques avec ça ? »

À l'évidence, il avait vu quelque chose qui lui avait échappé ; elle se tordit le cou pour relire la lettre.

« Qu'est-ce qui cloche ?

— Rien. C'est une lettre parfaite. Un modèle du genre, sans aucun doute. C'est agréable de voir que le mode épistolaire existe toujours en cette époque de téléphones mobiles et de courrier électronique.

— Jonathan ! » s'exclama-t-elle d'un ton menaçant.

Au cours de la conversation, quand il était dérouté ou bouleversé, il avait une fâcheuse tendance à s'égarer dans des impasses.

« Elle demande la photo d'un tableau.

— Qu'ils n'ont pas, à ce qu'ils disent. Je l'ai vu.

— Un portrait, poursuivit-il avec méthode, qui appartient à la marquise di Mulino. Auquel pas un chat ne s'est intéressé depuis près d'un demi-siècle. Sauf moi, et j'ai passé ces derniers mois à essayer en vain de l'acheter. Et juste au moment où je crois atteindre mon but, l'horrible Pianta m'annonce que quelqu'un d'autre désire l'acheter. Et maintenant il est évident que cette personne est une femme qu'on s'est empressé de poignarder. »

Flavia réfléchit un moment. Elle comprenait son inquiétude, mais elle ne la croyait pas fondée.

« Ça élimine la concurrence ! » lança-t-elle avec entrain.

Il lui jeta un regard sévère.

« Un peu trop littéralement, hélas !

— Qui a signé ce tableau ? demanda-t-elle.

— Personne.

57

— Il doit bien y avoir un auteur.

— Pour sûr. Mais ni moi ni personne ne sait qui. Tout ce qu'on sait c'est qu'il appartient à l'école vénitienne, *circa* 1500, ou à peu près. Très médiocre.

— Quel est le modèle du portrait, alors ?

— Je ne le sais pas non plus. Mais c'est probablement un autoportrait.

— Pas de Titien, je suppose ?

— Pas une chance sur dix millions. Titien savait peindre.

— À quoi ça ressemble ?

— Tout simple. Un homme doté d'un grand nez, portant une vareuse ; miroir, chevalet et palette en arrière-plan. Rien de passionnant, vraiment. »

Flavia fronça fortement les sourcils.

« Ça semble une drôle de coïncidence, je dois dire, admit-elle avec l'évidente réticence de quelqu'un qui voit sa vie se compliquer inutilement.

— Ça ne m'a pas échappé à moi non plus », dit Argyll d'un air maussade, tout en relisant la lettre pour être absolument certain qu'il l'avait bien comprise. (C'était le cas.) « C'est vraiment très bizarre. J'en suis tout retourné. »

Il s'appuya au dossier de sa chaise, croisa les bras comme pour se protéger et lui lança un regard sombre.

« Peut-être devrais-tu interroger certains de ses collègues, reprit-il après un moment. Apprendre quels étaient ses projets. Peut-être pourraient-ils nous aider. Est-ce que quelqu'un leur a parlé ?

— Bien sûr. Les carabiniers du coin ne sont pas de

complets abrutis. Pas tout à fait, disons. Mais ils ont surtout vérifié les alibis. Le comité comprenait six membres, l'un est décédé, les cinq autres possèdent des alibis crédibles.

— Hum ! Loin de moi l'idée de t'indiquer la façon de procéder avec ton boulot, mais je crois qu'une petite causette avec ces gens s'impose. Si tu veux me faire plaisir.

— C'est bien mon intention. Mais pas pour te faire plaisir, cependant. Je n'ai pas beaucoup de temps et il me faudra agir avec une certaine discrétion. Après tout, on m'a envoyée à Venise juste pour faire joli, pas pour agir.

— Tu fais toujours joli, dit gauchement Argyll. Mais j'ai du mal à t'imaginer en train de te tourner les pouces. Je ne pourrais pas t'accompagner par hasard, dis-moi ? »

Il s'efforça de prendre un air charmeur et de paraître capable d'assister à un interrogatoire sans se faire remarquer.

« Impossible ! Ce serait tout à fait anormal. Les rapports avec Bovolo sont déjà assez tendus comme ça. Il piquerait une crise. De plus, ça ne te regarde pas. »

Il se faisait tard, Flavia était fatiguée et devenait irritable. Elle pressentait qu'elle aurait besoin de davantage de temps qu'on ne lui permettrait d'en consacrer à cette affaire et, de manière un tant soit peu irrationnelle, elle commençait à reprocher à Argyll de compliquer les choses avec son infernal tableau. Non pas que ce fût sa faute, et il était injuste de lui parler sur ce ton. Mais elle avait grand besoin d'un sommeil réparateur. Elle réclama l'addition, paya et, sans plus tarder, poussa le jeune homme dans l'air nocturne glacial.

Les mains dans les poches, elle demeura devant le restaurant, admirant la vue et se demandant laquelle des innombrables ruelles la conduirait à son hôtel. Elle était douée du sens de l'orientation et quand celui-ci l'abandonnait, elle se sentait toujours désespérée. À Venise ce don tombait toujours en lambeaux. Argyll se tenait devant elle, se dandinant d'un pied sur l'autre, selon son habitude lorsqu'il hésitait entre plusieurs possibilités.

« Pour le moment, je ferais mieux de rentrer à mon hôtel. Sauf si tu souhaites que je te guide jusqu'au tien… »

Elle soupira et lui sourit.

« Dans ce cas, je n'y arriverai jamais, répondit-elle, sans saisir l'allusion. Ne t'en fais pas, je vais me débrouiller… Passe demain quand tu veux et je te mettrai au courant. »

Puis elle partit d'un bon pas, laissant un Argyll quelque peu dépité s'égarer et tourner en rond jusqu'à ce que le hasard le ramène à son hôtel.

4

Le lendemain matin, installé dans le fauteuil de la chambre de Flavia, Argyll lisait le journal. Sachant fort bien qu'après une perte de conscience de huit heures la brusquerie de la veille se serait dissipée, il était venu la rejoindre pour prendre le petit déjeuner et lui rappeler de s'enquérir des tableaux. Après avoir passé un certain temps à réfléchir à la question, il restait toujours un peu inquiet.

Il n'était guère pressé de s'occuper de ses propres affaires. Pour le moment, il n'avait rien de précis à faire. Il allait patienter, il avait tout son temps, expliqua-t-il en prenant l'air rusé – espérait-il – du professionnel qui en a vu d'autres. Si on voulait jouer au plus fin avec lui, il pouvait sans difficulté rendre la pareille.

« Je veux ces tableaux, mais ça commence à devenir compliqué. Mon employeur bien-aimé ne me le pardonnerait jamais si je le fourrais dans un nouveau petit scandale », déclara-t-il d'un ton pensif tout en se versant ce qui restait du café.

En cela il n'avait sans doute pas tort. Sir Edward Byrnes était dans l'ensemble un homme facile à vivre, mais il tenait beaucoup à son impeccable réputation de prince intègre du milieu international de l'art. Le rôle secondaire mais déterminant qu'avait joué Argyll dans la vente effectuée par Byrnes d'un faux Raphaël au Musée national de Rome avait failli briser sa carrière. Non pas que ce fût la faute d'Argyll – et c'est lui qui avait fini par tirer les choses au clair, en quelque sorte –, mais il s'en était fallu d'un cheveu ; et une histoire du même genre serait plutôt dure à avaler.

« Et d'ailleurs, comment as-tu entendu parler de ces tableaux ? Un nouvel exemple de ton travail de limier dans le domaine de l'histoire de l'art ? »

Une légère ironie perçait dans ces propos, les résultats d'Argyll sur ce terrain ayant été par le passé fâcheusement irréguliers. Il traita ces allusions avec le mépris qu'elles méritaient.

« Pas exactement. La vieille marquise a écrit à Byrnes, il y a environ six mois. Elle pensait, je crois, que les tableaux possédaient une plus grande valeur que ce n'est le cas en réalité. On m'a envoyé pour la détromper et pour traiter l'affaire. Ce n'est pas ma faute, tu vois. »

Les vicissitudes de l'existence le firent soupirer et il vida sa tasse.

« Tu veux qu'on fasse quelques visites d'églises aujourd'hui ? Ou vas-tu être consciencieuse ? » demanda-t-il au moment où elle se levait de son siège.

Elle hocha la tête.

« J'en ai bien peur. Le premier membre du comité. Autant s'y coller. La journée sera longue. »

Elle était particulièrement séduisante ce matin-là, pensa tendrement le jeune Anglais. Cheveux défaits, resplendissants dans la lumière matinale qui entrait à flots par la fenêtre, visage radieux, extraordinaires yeux bleus. Hum ! Il maîtrisa son admiration qui, croyait-il, ne serait pas appréciée à cette heure-là. Hélas ! c'était apparemment tout aussi vrai des autres heures de la journée.

« Et qui est l'heureux homme ?

— Tony Roberts. J'ai rendez-vous avec lui sur l'île. J'ai décidé de me débarrasser des Anglo-Saxons en premier. Tu sais quelque chose sur lui ?

— Assez pour affirmer que ce n'est pas le genre d'individu qu'on peut appeler Tony. Anthony, s'il te plaît. Trop respectable pour les diminutifs. C'est comme si on parlait de Léonard de Vinci en l'appelant Lenny.

— Il est comment ?

— Ça dépend de la personne à qui on s'adresse. D'une part, il y a le club des fans. Grand bonhomme, sommité dans son domaine. Un gentleman doublé d'un véritable spécialiste. Tu connais la musique. Excellentes manières et honnêteté professionnelle sans faille. Un vrai saint. D'autre part, certains disent que, malgré son charme, c'est une vieille baderne pompeuse, en fait. Il est vrai que c'est là le point de vue de ceux qui n'ont pas profité de son vaste réseau de protection.

— Mais est-ce qu'il est compétent dans son domaine ? »

Argyll haussa les épaules.

« Là-dessus également les avis divergent. Son livre sur les concours artistiques de Venise est dans l'ensemble accepté comme une révolution méthodologique. Les moins enthousiastes ajoutent qu'il n'a pratiquement rien fait depuis. Et vingt ans ça fait long pour se reposer sur ses lauriers. Quant à moi, je n'en sais rien. Je ne l'ai jamais rencontré. C'est un collectionneur de tableaux passionné et il paie ses factures, autant que je sache. Que demander de plus ? »

La *fondazione* Giorgio Cini est l'autre nom du vieux monastère de San Giorgio Maggiore, chef-d'œuvre du XVIe siècle de Palladio, repris par l'État et transformé en centre de conférences haut de gamme. C'est le genre d'endroit où se tiennent les sommets internationaux et les congrès dont il faut impressionner les participants. Rien, semblait-il, n'était trop beau pour les spécialistes du plus célèbre peintre de Venise, et chaque année une salle de conférences bien équipée, plusieurs chambres confortables, des téléphones, des fax, des photocopieuses, ainsi qu'un essaim de cuisiniers et de femmes de chambre étaient mis à l'entière disposition du comité Tiziano.

S'il avait été nécessaire de les aider à se concentrer sur leur mission, il aurait été suffisant de les installer sur l'île. En face de Saint-Marc, la Salute à gauche, les édifices de pierre, de brique et de terre cuite rutilaient littéralement sous un soleil d'automne déclinant et de plus en plus rare – preuve assez éclatante que Venise était l'une des grandes merveilles du monde.

Debout dans le vaporetto, fascinée, Flavia contemplait le spectacle tandis que l'île se rapprochait. L'été avait un peu hâlé son visage, ses longs cheveux blonds flottaient en arrière dans la brise. Si Argyll l'avait vue dans cette pose, jambes un peu écartées pour garder l'équilibre, mains fourrées dans les poches de son jean, front légèrement plissé à cause du soleil, il aurait été encore plus admiratif qu'au petit déjeuner. Mais il n'aurait jamais su comment lui faire part de ses sentiments et Flavia était incapable de deviner ses pensées.

« Trop tard », dit le gardien sèchement au moment où elle s'approchait. Il désignait le tableau des horaires annonçant que le bâtiment était fermé aux touristes à partir de midi. Il n'était que dix heures. Elle sortit sa carte et se présenta comme membre de la police. Il lut la carte avec soin, des deux côtés, tout en jetant à Flavia des regards soupçonneux.

« Vous venez de Rome, hein ? demanda-t-il, d'un ton qui signifiait qu'elle aurait dû en avoir honte.

— Le comité Tiziano…, rétorqua-t-elle avec raideur. Où se trouvent les salles de réunions ?

— Ah ! fit-il d'un air entendu, la dame qui s'est fait tuer ? »

Il paraissait suggérer que c'était la faute de l'Américaine. Il n'était pas le seul.

« En effet. Vous la connaissiez ?

— Un peu. Pas beaucoup. Certaines personnes prennent le temps de s'arrêter pour faire un brin de causette et même me demander mon nom. Pas elle. Elle a bien bavardé avec ma femme. D'après ma femme elle était sympathique, même si elles n'avaient pas grand-chose à se dire. Ma femme, ajouta-t-il en se lançant dans une digression apparemment hors de propos, fait le ménage ici, vous savez.

— Vraiment ? dit Flavia qui avait saisi l'allusion au brin de causette. Ça fait longtemps ?

— Oh ! des années… Elle a commencé l'année de l'inondation. » Flavia essaya de se rappeler. 1966 ? Au mois d'octobre ? Quelque chose comme ça. Non pas que ça ait la moindre importance. « Huit heures par jour. Et elle aide à faire la vaisselle le soir. Et vous savez combien on la paye ? »

Une misère, sans doute. Mais elle n'avait pas le temps d'écouter des récriminations, même justifiées.

« Il ne doit pas y avoir beaucoup d'activité en ce moment. Il n'y a que les historiens, non ? »

Il admit à contrecœur que c'était plutôt calme.

« Ça veut pas dire que l'endroit est facile à nettoyer, rétorqua-t-il.

— Ah bon ?

— Non. C'est délabré, en réalité. Ça fait de l'effet, d'accord. Mais c'est dégradé. On peut rien faire de correct dans l'état actuel des choses. »

Elle fut sur le point de demander s'il était par hasard parent d'un vieux gondolier de sa connaissance.

« La qualité du travail ! Ha ! Centre international de conférences, soi-disant ! On peut même pas arrêter les fuites du toit… C'est parce que tous les contrats, vous savez… »

Il lui jeta un regard qui en disait long en appuyant un doigt contre une narine pour suggérer de louches manœuvres dans les hautes sphères. Elle savait de quoi il parlait. Il avait sans doute raison.

« Vous savez que la semaine dernière ça coulait ? Est-ce que vous croiriez ça possible ? Des flaques d'eau dans les couloirs. Que ma femme a dû nettoyer même après la fin de son service. Toit en piteux état. Laisse passer la pluie. Heureusement que les chambres ont été épargnées ou ces gens se seraient plaints. Ils ne s'en privent pas, vous savez. Y a des gens qui sont jamais contents.

— Certains doivent être intéressants, se hasarda-t-elle à dire en dernier ressort, dans l'espoir de le faire changer de sujet et pour qu'elle puisse connaître la direction de la salle de réunions.

— Intéressants ? Ça, j'en sais rien. Bizarres, pour sûr. On a eu de drôles de gens ici. Suis pas certain d'approuver. Ils se disent respectables, vous savez.

— Et ils ne le sont pas ?

— Certains, oui. D'autres, je ne les laisserais pas entrer chez moi. Naturellement, je ne juge pas. Faut être tolérant, comme on dit, et à Venise on devient toujours olé olé, si vous voyez ce que je veux dire… »

Elle devinait à quoi il faisait allusion.

« Prenez cette dame qui s'est fait tuer », reprit-il. La lueur dans l'œil du gardien indiquait à Flavia qu'il prenait plaisir à jouer avec elle.

« Elle ne s'est pas fait tuer. Quelqu'un l'a assassinée.

— C'est bien ce que j'ai dit », répliqua-t-il.

À l'évidence il trouvait qu'elle coupait les cheveux en quatre.

Flavia soupira.

« Cette dame, donc ?

— C'est pas vraiment mes affaires… mais tout ce que je sais, c'est qu'elle était un peu oiseau de nuit, celle-là.

— Vous voulez dire qu'elle travaillait tard ? »

Il ricana et du dos de la main frotta son nez rouge d'alcoolique.

« C'était peut-être du travail… » Il lui lança un clin d'œil allumé particulièrement répugnant.

« Elle recevait des amis, c'est ça ? »

Cela lui parut une excellente plaisanterie et il regarda Flavia comme s'il avait enfin trouvé son âme sœur.

« Oh oui ! railla-t-il. Des amis, hein ? » Il n'en finissait pas de glousser gaiement.

Flavia poussa un nouveau soupir. Les amateurs de ragots posaient toujours un problème. Ils étaient tiraillés entre le besoin irrésistible de raconter ce qu'ils savaient et la vieille réticence à faire la moindre révélation à la police. Cela aboutissait à une série d'allusions cryptiques comme celles-ci, destinées à satisfaire aux deux impératifs.

« Parlez-moi des autres, commença-t-elle, mais elle s'interrompit sur-le-champ en voyant l'expression méfiante réapparaître sur le visage du gardien. Je suppose que vendredi soir votre épouse se trouvait dans la cuisine avec le Pr Miller ? »

Il pouvait répondre à cette question. Il n'y avait aucun mal à disculper quelqu'un.

« Oui. Vers vingt-deux heures trente il est venu de la blanchisserie à la cuisine pour demander de l'eau. On a bavardé un petit moment. C'est un homme charmant, très courtois.

— Et il n'a pas quitté l'île, à aucun moment ?

— Oh non ! Il est bien resté ici. Il n'y avait aucun transport public et s'il avait pris un bateau-taxi je l'aurais vu. Et avant que vous ne posiez la question, ajouta-t-il d'un ton catégorique, en ce moment il n'y a ici aucun bateau privé qu'il aurait pu emprunter.

— Le soir, vous êtes obligé d'ouvrir la porte si quelqu'un veut rentrer ?

— Non. On donne une clé à chacun. Mais, comme je l'ai dit, j'étais de service de dix-huit heures à minuit et si quelqu'un était arrivé ou parti je l'aurais vu. Et ça n'a pas été le cas. »

Cela semblait assez convaincant. Après une brève pause afin de prendre des notes sur la conversation, Flavia se dirigea vers le deuxième cloître pour chercher les pièces mises au service du comité. Une fois de plus, son sens de l'orientation lui fit défaut et elle se retrouva devant ce qui paraissait être une entrée de service, quelque part à l'autre bout du bâtiment. Elle poussa un juron, revint sur ses pas et atterrit, cette fois-ci, dans les cuisines.

La troisième tentative fut couronnée de succès. Elle tomba sur le bon étage, longea un couloir où s'ouvraient les chambres des membres du comité qui souhaitaient être hébergés gratuitement. À première vue, cela concernait seulement Miller et Louise Masterson. Les autres avaient préféré s'occuper eux-mêmes de leur logement.

Quelle que fût la qualité de la toiture, pour l'usage auquel elles étaient destinées, les salles de réunions paraissaient plus qu'acceptables. Lambris de chêne en quantité ; au plafond, belles peintures aux sujets religieux, comme il se devait – même si le grand nombre de corps nus y tournoyant ne semblait guère propice à la concentration des vieux moines sur leurs prières ; et, en plus de tout l'équipement habituel des centres de conférences modernes, fauteuils confortables, tables du *settecento*, verrerie de Venise, tapisseries flamandes…

Et, au milieu, assis tout droit au bout de la longue table à l'évidence utilisée lors des réunions, se trouvait le Pr Roberts. Flavia fut sûre que c'était lui bien qu'il y eût trois hommes dans la pièce : tandis que le plus âgé d'entre eux, avec ses cheveux argentés, sa veste de tweed, son nez aquilin et son port d'aristocrate, possédait vraiment l'aspect du « grand expert dans son domaine », les deux autres, eux, ne pourraient jamais passer pour de grands quoi que ce soit.

Le Pr Roberts aurait reconnu comme plutôt exact, dans l'ensemble, le portrait qu'Argyll avait brossé de lui. C'était un homme qui avait compris très tôt qu'on ne peut parvenir à se faire aimer de tout le monde en même temps. La seule solution consiste donc à s'assurer que ceux qui vous détestent ne puissent vous nuire.

Il avait suivi cette règle d'or depuis le jour où il l'avait formulée, un quart de siècle auparavant ; mais il ne fallait pas voir là la marque d'un homme antipathique. Loin s'en faut. Roberts jouissait d'une grande réputation de courtoisie, d'hospitalité et de bonnes manières. Une génération entière de jeunes chercheurs parlait de lui avec un immense respect à cause de ses connaissances infinies et de sa gentillesse envers les étudiants. Comme l'avait indiqué Argyll, il chérissait sa réputation d'homme intègre et se donnait beaucoup de mal pour la préserver.

Flavia ne s'était pas trompée, bien sûr. Roberts se nomma à la manière de quelqu'un octroyant une faveur, avant de présenter avec une certaine brusquerie ses deux collègues du comité – lesquels paraissaient bien moins à l'aise –, les professeurs Miller et Kollmar. Puis il fit clairement entendre que c'était lui qui allait prendre la parole – non pas que les autres eussent indiqué le moindre désir d'intervenir.

Flavia s'acquitta de tous les préliminaires habituels, prêtant davantage d'attention à la forme qu'au contenu des réponses. Les faits, elle les connaissait déjà : Roberts faisait partie du comité depuis sa fondation, était titulaire d'une chaire en Angleterre, avait publié ceci et cela, etc. Rien que de très banal dans tout ça. Elle jeta un coup d'œil en douce à ses notes pour se rafraîchir la mémoire à propos des deux autres. Kollmar était allemand et siégeait au comité depuis sa création. Miller, un Américain, plus jeune dans la carrière, enseignait dans une université du Massachusetts et espérait être titularisé l'année suivante.

« Du café ? » proposa Roberts, en désignant une cafetière du XVIIIᵉ en argent qui se trouvait dans un coin.

Pendant qu'il lui versait une tasse, elle examina la liasse de notes sur la table. Il n'y avait rien de mieux à faire, les deux autres personnes ne semblant pas souhaiter meubler la conversation. Un livre se trouvait également sur la table et elle s'en saisit.

« C'est un livre de Louise Masterson, n'est-ce pas ? » dit-elle en lisant le nom sur la couverture.

De derrière la cafetière Roberts lui décocha un regard perçant, puis se détendit.

« C'est exact. Je le lui avais emprunté mercredi. J'en avais besoin pour le citer dans un article que je suis en train d'écrire. Il y a d'excellents passages dans ce livre. »

Compliment à double tranchant, en un sens, pensa Flavia. L'ouvrage lui parut affreusement barbant. Mais ça faisait partie de sa fonction d'expert en œuvres d'art. Elle demanderait à Argyll d'y jeter un coup d'œil : ça lui ferait du bien de lire quelque chose de sérieux pour une fois. Pouvait-elle l'emporter ? s'enquit-elle, car il fallait le renvoyer avec les effets de la victime au parent le plus proche.

Roberts rechigna d'abord.

« Je préférerais que vous n'en fassiez rien, commença-t-il. J'en ai encore besoin. »

Flavia ayant suggéré que la priorité allait peut-être à l'enquête sur le meurtre de Louise Masterson, il n'insista pas et accepta à contrecœur, mais avec grâce.

« Mais bien sûr. Quel affreux égoïsme de ma part ! Je dois avouer que je n'arrive pas à croire qu'elle est morte.

Prenez-le, je vous en prie. Je pourrai m'en passer, à coup sûr. »

Kollmar s'agita sur son siège ; c'était la première fois qu'il donnait signe de vie. Il devait avoir une dizaine d'années de moins que Roberts, mais faisait cinq ans de plus. On avait l'impression que la vie n'avait pas été extraordinairement généreuse à son égard. Petit et nerveux, il avait un visage tendu, marqué par des années d'angoisse et de tracas. Quoique négligés, ses vêtements n'étaient pas de mauvaise qualité. Flavia l'inscrivit tout de suite sur la liste des victimes de l'existence. Non pas, évidemment, se rappela-t-elle, sa conscience profession-nelle reprenant soudain le dessus, que cela signifiât qu'il était innocent. Ni même sympathique.

« Je me demandais…, commença-t-il.

— Oh ! en effet, en effet, interrompit Roberts en apportant à Flavia sa tasse de café, je suis impardon-nable… Vous pouvez vous retirer, je vous en prie. Je suis sûr que ça ira très bien. Peut-être pourrez-vous me communiquer les résultats dès ce soir ? J'ai vraiment besoin de ces renseignements le plus tôt possible. »

Il se tourna vers Flavia.

« Le Pr Kollmar est très pressé d'aller à la biblio-thèque pour faire des recherches. Ça ne vous gêne pas, n'est-ce pas ? »

Dans le cas contraire, cela ne ferait manifestement aucune différence, se dit-elle, tandis que l'Allemand ramassait sa serviette et détalait. En fait, ça l'agaçait un peu ; d'une part, parce qu'il faudrait désormais qu'elle aille interroger l'homme séparément, et, d'autre part, parce que Roberts avait pris la direction des opérations avec tant de facilité et organisé les choses à son profit. Elle était persuadée qu'au moment où il avait été interrompu Kollmar allait simplement demander une tasse de café. Cela ne manquait pas d'intérêt, cependant. On voyait parfaitement qui était le chef de ce petit groupe de confrères.

Après avoir congédié son collègue, Roberts se rassit, reprenant la pose à la fois élégante et empreinte d'autorité qui avait frappé Flavia lorsqu'elle était entrée.

« Je me suis demandé, murmura-t-il, lequel d'entre nous vous soupçonniez. Suis-je, par exemple, sur votre liste ? »

Le ton signifiait clairement qu'il jugeait cette possibilité grotesque, mais Flavia crut déceler un soupçon d'inquiétude au tréfonds de lui-même. L'angoisse que montra Miller en réaction à une question qui n'avait sans doute été posée que pour prendre Flavia au dépourvu fut bien plus évidente. Miller était bouleversé. À dire vrai, il paraissait sur le point de vomir.

« Qu'est-ce qui vous fait penser que nous soupçonnons un membre du comité ? Le commissaire Bovolo vous a sans doute expliqué…

— Son histoire de Sicilien. Oui, et c'est réconfortant, naturellement, même si c'est idiot.

— Qu'est-ce qui vous fait croire ça ?

— Louise était américaine. Elle vivait à New York depuis des années et savait très bien se tenir sur ses gardes. C'était une femme très déterminée et sûre d'elle.

Elle n'était pas du genre à se laisser surprendre de la sorte.

— Est-ce à dire que vous souhaitez impliquer l'un de vos collègues ?

— Grands dieux, non ! s'exclama-t-il, visiblement choqué à la seule pensée de commettre une action aussi vulgaire. Je n'ai pas la moindre idée de l'identité de son assassin. Mais j'ai pensé que vous pourriez vous demander s'il était envisageable que le meurtrier possédait un mobile plus sérieux que le vol.

— Ce qui n'était pas votre cas. »

Roberts opina du chef.

« Ce qui n'était pas mon cas. Ni, permettez-moi d'ajouter, celui des personnes de mon entourage. En ce qui me concerne, c'était d'ailleurs tout à fait le contraire. Je la considérais plutôt comme ma protégée, expliqua-t-il en souriant. Quoique, bien sûr, Louise ait été beaucoup trop fière et indépendante pour accepter ce rôle de subordonnée par rapport à quiconque. C'est la raison pour laquelle nous avons eu nos différends qui, hélas ! n'ont pas été réglés avant sa mort.

— Comment était-elle ?

— Dans quel sens ?

— En tant qu'historienne, comme personne, comme collègue. Aimée ? admirée ? Que pouvez-vous dire d'elle ?

— Ça dépend, naturellement, de la personne à qui l'on s'adresse, répondit Roberts, faisant inconsciemment écho aux paroles d'Argyll à son propos. En ce qui concerne ses travaux, elle promettait vraiment beaucoup. »

À nouveau, cette touche de condescendance envers une femme de près de quarante ans. « Pour ma part, poursuivit-il, je n'ai jamais eu la moindre raison de regretter d'avoir recommandé sa nomination au comité. Elle a été un temps l'élève de mon grand ami Georges Bralle, et cela me suffisait amplement. »

Miller poussa un petit grognement. Flavia lui lança un regard interrogateur. Roberts, remarqua-t-elle, le fixa, lui aussi, mais d'un air de reproche.

« Eh bien ! commença Miller avec réticence, sans trop savoir s'il allait franchir la ligne rouge et pas tout à fait remis du grand choc que Roberts lui avait causé par ses premières remarques, ce n'est pas parfaitement exact. On était condisciples à Columbia et elle est partie vivre une année à Paris. Elle possédait assez d'argent venant de sa famille pour faire ce genre de chose. Elle s'est inscrite au cours de Bralle et est rentrée un an plus tard avec une recommandation de sa part. Grâce à ça elle a eu son poste et a continué sur sa lancée. »

Flavia retint ce commentaire qui ne débordait pas vraiment d'affection et de nostalgie, mais elle décida de n'en faire aucun cas pour le moment. Elle se retourna vers Roberts.

« Elle est devenue membre du comité il y a environ dix-huit mois, n'est-ce pas ? »

Il hocha la tête à nouveau.

« Oui. Parce que le Pr Bralle s'est retiré. Au fait, connaissez-vous l'histoire du comité ? »

Elle secoua la tête.

« Il a été créé de manière privée il y a douze ans. Par Bralle, aidé de Kollmar et de moi-même. Nous étions tous deux les disciples du grand homme. Van Heteren s'est joint à nous quelques années plus tard et Miller, ici présent, il y a environ cinq ans. On a bûché du mieux possible et puis on a été nationalisés, pour ainsi dire.

— Je vous demande pardon ?

— Repris par l'État. On travaillait seuls, avec un budget de misère et, en un mot, on ne pouvait plus y arriver. C'est alors que le ministère des Arts italien a décidé de soutenir un projet de prestige et nous a offert de vastes subsides ainsi qu'un statut officiel. C'est moi qui ai négocié le contrat, lequel a pris effet il y a quelques années.

— C'était très bien pour vous. »

Il ne paraissait pas extrêmement reconnaissant.

« L'argent était le bienvenu. Mais cela s'est accompagné d'un tas de paperasses, il va sans dire. Ça n'a pas plu à Bralle qui a décidé de se retirer. Bien sûr, il a fallu nommer un Italien au comité : M. Lorenzo, docteur en histoire de l'art, qui est avec nous depuis deux ans. Comme nous avions davantage d'argent et que le ministère des Arts faisait pression pour que nous ayons des résultats justifiant ces fonds, nous avons dû accélérer nos travaux, et c'est ainsi que nous avons choisi le Pr Masterson pour nous aider. »

Quelque chose dans sa voix suggérait que le changement ne s'était pas accompli de la façon souple et amicale qu'il décrivait.

« Et le choix de Louise Masterson ne s'est pas révélé aussi judicieux que vous l'aviez cru ? »

Roberts réfléchit un moment. Flavia se rendit compte qu'il s'efforçait de soigner sa formulation : sous l'apparence de l'objectivité, le message serait perfide. Elle s'aperçut qu'il baissait dans son estime.

« Personnellement, moi je n'ai pas eu à me plaindre, répondit-il, en tirant son épingle du jeu.

— Mais… ?

— Disons qu'elle était relativement jeune et inexpérimentée. Bien sûr, elle se serait adaptée et serait devenue indispensable, une fois qu'elle eût saisi notre méthode de travail. Certains de mes collègues, il me semble, étaient moins optimistes que moi. »

La façon qu'il avait de s'exprimer comme si Miller n'avait pas été présent dans la pièce était stupéfiante.

« En d'autres termes, vous ne pensez pas avoir commis une erreur en la recommandant. »

Ce n'était pas le genre d'homme qui admet avoir commis une erreur. Ou bien alors il était fidèle en amitié.

« Grands dieux, non ! Elle était consciencieuse et pleine d'entrain, mais elle avait besoin d'un peu plus d'expérience dans la pratique du travail en commission. Et, bien sûr, elle ne s'exprimait pas toujours avec le tact requis. »

Toutes ces petites allusions ! Pourquoi diable les gens ne pouvaient-ils parler sans détour ? C'était bien d'être discret, mais il y avait des limites…

« Que voulez-vous dire, professeur ?

— Eh bien ! Pour citer un exemple. Autant vous le

raconter, étant donné que vous apprendrez la chose tôt ou tard… Êtes-vous par hasard au courant de la manière dont nous travaillons au comité ? »

Flavia secoua la tête. Elle avait dû maîtriser une quantité considérable de détails durant les dernières vingt-quatre heures et les arcanes de la collaboration entre historiens de l'art ne figuraient pas parmi ses toutes premières priorités. Malheureusement, cela fut l'occasion pour Roberts d'opérer une importante diversion.

Comme il l'expliqua, leur méthode était fort simple. Chaque membre du comité était chargé d'étudier un tableau, soit seul, soit en collaboration, et de rédiger ensuite un rapport. On en discutait lors de leur réunion annuelle au cours de laquelle on votait pour attribuer une note à chaque œuvre. Un A indiquait qu'il s'agissait d'un authentique Titien, un B qu'un doute subsistait, et un C signifiait un rejet pur et simple. Les tableaux jugés dignes d'un A étaient alors soumis à d'autres tests scientifiques afin de vérifier qu'aucune erreur n'avait été commise. Les rapports individuels et les évaluations s'accumulaient peu à peu avant d'être présentés dans une série d'ouvrages coûteux ornés de somptueuses illustrations.

L'étonnement de Flavia grandissait au fur et à mesure que Roberts décrivait le processus.

« Vous voulez vraiment dire que la plupart d'entre vous votez sur l'authenticité d'un tableau sans même l'avoir vu ?

— En effet. Dans la plupart des cas c'est tout à fait inutile. Il y a des Titiens dans le monde entier et nous ne pouvons pas tous courir partout pour examiner le moindre d'entre eux. En outre, depuis que nous avons accepté l'argent de l'État, nous subissons une pression constante afin d'être, pour employer le terme du ministère, rentables. C'est cette époque moderne de concurrence, comme M. Lorenzo ne cesse de nous le rappeler… Une situation odieuse.

— Et combien de temps passez-vous par tableau ?

— Vous voulez dire à l'examiner ? Oh ! ça dépend. En gros, deux heures suffisent souvent.

— C'est grotesque ! Il me semble que c'est du travail bâclé… Votre évaluation n'est-elle pas censée être définitive ? »

Roberts haussa les épaules.

« Je vous assure que notre étude est plus approfondie que la plupart des travaux de ce genre. Il nous faut examiner des centaines d'œuvres et nous ne rajeunissons pas ! Là où je voulais en venir, c'est que, à la première séance à laquelle assista Louise, le Pr Kollmar a proposé qu'un tableau se trouvant dans une collection milanaise reçoive un C. C'était une peinture que j'avais examinée et pour laquelle le Pr Kollmar avait fait la recherche dans les archives. Je n'étais ni pour ni contre, mais le Pr Kollmar a décidé que les documents n'étaient pas assez probants. Tout le monde a accepté ses conclusions, sauf Louise. Elle a d'abord été d'accord, elle aussi, puis le lendemain elle a changé d'avis et créé un incident.

— Pourquoi donc ?

— Je crois que ça venait surtout de son ardeur à la tâche. Mais elle s'est laissée emporter et ça a commencé à

80

exaspérer les autres collègues. Ce genre d'attitude me semble toujours fâcheux. À quoi peut bien servir ce programme s'il se transforme en un champ de bataille où chacun tente de conquérir le pouvoir ? J'ai tout fait pour la persuader de laisser courir, pour le bien de tous.

— Et vous y êtes parvenu ?

— En partie. En tout cas, je l'ai persuadée de ne plus en parler. Quelle pénible histoire ! Louise a accepté à contrecœur et m'a un peu rabroué, comme je l'ai dit. Je tiens les travaux de Kollmar en haute estime et je suis disposé à respecter son avis. Le tableau n'est qu'une esquisse à l'huile pour une peinture religieuse. Le sujet est incertain. Le style indique qu'il remonte au début du XVIe siècle. Louise sous-entendait que la recherche n'avait pas été menée selon les règles.

— Ça ne me semble pas déraisonnable. Après tout, vous voulez éviter les erreurs, se hasarda à dire Flavia.

— Bien sûr. Moi, ça ne m'a pas dérangé, mais le Pr Kollmar a été vexé. Il a trouvé un peu malvenu de sa part de mettre en doute le travail des autres dès sa première séance. Mais il faudra que vous lui en parliez vous-même. Ce serait extrêmement incorrect de ma part de décrire ses réactions à sa place.

— Et à quelles conclusions Louise Masterson avait-elle abouti ?

— Je ne le sais pas. C'est hier qu'elle devait faire son exposé. Je suppose qu'il se trouvait dans le sac qui a été volé.

— Est-il possible de parvenir à des conclusions incontestables dans un tel domaine ? »

Il n'y avait guère de chances qu'il décline une telle invitation à faire un cours. Il se rejeta en arrière, croisa les jambes et joignit le bout des doigts, exactement comme s'il donnait une leçon particulière à l'un de ses étudiants les moins doués.

« Eh bien, commença-t-il, vous devez vous rappeler que Titien était sans conteste l'un des grands génies de la Renaissance. Par conséquent, en théorie, on devrait pouvoir isoler l'étincelle de génie qui doit se retrouver dans toutes ses œuvres. Cependant, même les génies de son envergure ne viennent pas au monde tout armés, pour ainsi dire… »

Flavia regrettait déjà sa question. L'homme parlait comme si chaque mot de son discours commençait par une majuscule, et dans son œil luisait un certain éclat annonçant qu'il se préparait à une longue tirade. Elle ne voyait pas du tout en quoi s'imposait une conférence sur l'adresse de Titien dans le maniement du pinceau. Mais puisque c'était elle qui l'avait demandé, faisant contre mauvaise fortune bon cœur elle tenta de paraître, le plus gracieusement possible, aussi patiente qu'intéressée.

Roberts discourait à qui mieux mieux sur le jeune Titien – comment il avait débuté dans l'atelier de Bellini, avant de subir l'influence de Giorgione : « Vous n'êtes pas sans savoir qu'ils ont peint ensemble le Fondaco dei Tedeschi à Venise… »

Un peu agacée, elle hocha la tête. Elle le savait fort bien et s'irritait d'être traitée comme un cancre.

« Ils ont été très amis pendant un certain temps, mais ils se sont brouillés lorsque Titien a volé la maîtresse du maître et est parti travailler à Padoue en 1510. Giorgione est mort de chagrin la même année, et la maîtresse a succombé à la peste. Fin du roman. Ce qui compte, c'est que Titien a subi de nombreuses influences – il a peint dans le style de Bellini, puis de Giorgione – avant d'acquérir peu à peu le sien propre.

— Je sais tout ça. Mais quel intérêt ? lança-t-elle dans l'espoir qu'une certaine brusquerie pourrait ramener son interlocuteur vers un présent moins agréable mais plus immédiat.

— Le sens de mon bref exposé, c'est que le style des peintures de ses débuts varie au gré des expériences que faisait Titien et au fur et à mesure qu'il apprenait et mûrissait. C'est pourquoi certains des tableaux sont sujets à caution, sauf quand il y a des documents certifiant l'authenticité de l'œuvre. Et Kollmar a décidé – et c'est le spécialiste de la question – que ce n'était pas le cas en l'occurrence. Je suppose que Louise s'est imaginé pouvoir prouver par des méthodes différentes qu'il s'agissait bien d'un Titien.

— Et possédez-vous d'autres renseignements sur ce qui a bien pu se passer vendredi soir ? demanda-t-elle, soulagée qu'il ait enfin mis un terme à ses explications et dans l'espoir de le conduire vers des domaines plus fructueux et relevant davantage d'une enquête policière.

— Absolument aucun. J'ai compris que quelque chose n'allait pas seulement lorsque je suis arrivé sur l'île samedi matin et que j'ai trouvé Lorenzo en état de choc et des policiers partout. Sur le jour en question, je ne vois rien à dire d'intéressant. Nous nous sommes réunis le matin, j'ai déjeuné avec le Pr Miller pour évoquer la stratégie à suivre en vue de sa titularisation dans son université américaine – je soutiens sa candidature –, puis nous avons tenu une autre séance l'après-midi jusqu'à environ trois heures. Ensuite je suis allé chercher les billets et j'ai pris quelque repos avant de m'habiller pour l'Opéra. Rien que de parfaitement normal.

— Vous avez beaucoup parlé à Louise Masterson ? »

Il secoua la tête.

« Uniquement sur des sujets concernant le train-train quotidien et encore pas beaucoup. Elle a été absente le premier jour, ce qui a déplu ; elle était allée faire du tourisme à Padoue, d'après Miller. Elle était, semble-t-il, dans l'un de ses moments de grande détermination, mais elle n'a rien dit de significatif. Elle se montrait d'ailleurs inhabituellement peu loquace. »

Pour l'instant il ne semblait pas y avoir d'autres pistes à suivre. Flavia commençait à trouver Miller fort intéressant, mais il était clair qu'elle n'allait pas pouvoir bien l'entreprendre tant que Roberts se trouverait dans les parages. Cela n'était pas forcément suspect ; cela voulait simplement dire que Roberts aimait tellement dominer les débats qu'il était difficile d'en placer une en sa présence. Elle essaya d'imaginer comment se déroulaient les séances du comité.

Au moment où elle se levait pour partir, elle fut ravie que son mouvement mît également fin au petit tête-à-tête entre Roberts et Miller, celui-ci annonçant qu'il allait faire un petit plongeon dans la piscine.

« Excellent ! commenta Roberts d'un ton pincé. Je

considère toujours que les États-Unis constituent le dernier avant-poste de l'homme de la Renaissance. *Mens sana*, hein, Miller ? »

Miller salua d'un sourire poli, bien qu'un peu crispé, une petite plaisanterie qu'il avait dû déjà entendre plusieurs fois, marmonnant que la natation le calmait beaucoup pendant les périodes de tension. Et, ajouta-t-il, c'était le cas actuellement.

« Soit. Mais j'espère que cela ne va pas vous faire oublier d'autres questions. Allez voir le Pr Kollmar pour lui rappeler que j'ai besoin de ces notes d'archives pour ce soir. C'est fondamental si je veux finir ma conférence à temps. »

Un ordre est un ordre. À l'évidence, Miller et Kollmar avaient l'habitude d'y obéir. Flavia traîna dans le couloir devant la chambre de Miller jusqu'à ce qu'il en émerge avec palmes, serviettes et autres éléments de l'attirail du parfait nageur. C'était de toute évidence un passionné ; son sac était constellé d'autocollants commémorant une série de concours de natation auxquels il avait apparemment participé. La forme physique est sans doute une chose admirable, mais Flavia, qui passait la première heure de la journée à fumer cigarette sur cigarette tout en buvant le café le plus fort possible et pour qui l'équipement du parfait nageur se composait d'un transat et d'une crème solaire, n'approuvait pas entièrement.

« Je suppose que vous désirez me mettre sur la sellette sans que le Pr Roberts réponde à toutes les questions à ma place, déclara-t-il sans ambages alors qu'ils descendaient l'escalier et se dirigeaient vers la jetée.

« — Ce ne sont pas tout à fait les termes que j'emploierais, mais vous n'en êtes pas loin », répliqua-t-elle.

Ils étaient passés à l'anglais. Avec Roberts ils n'avaient parlé qu'en italien et la seule intervention de Miller avait été quelque peu fragmentaire.

« Comment Louise Masterson est-elle entrée au comité ? » demanda-t-elle, en supposant que la version de Miller risquait de différer de celle de son collègue.

Miller haussa les épaules tandis que ses chaussures claquaient sur les marches de pierre. Flavia abaissa le regard. Bien qu'il fût vêtu d'un jean et d'un tee-shirt, par un bizarre souci d'élégance fort peu italien, il avait mis des chaussures noires habillées. Qu'ils étaient bizarres, ces Américains !

« Ne croyez pas que je lui en veuille le moins du monde, dit-il. Elle était très compétente et extrêmement motivée. Mais sa nomination ne s'imposait pas.

— Elle ne l'a pas due à la qualité de ses travaux ? »

Flavia s'aperçut de nouveau qu'elle souhaitait défendre la pauvre défunte contre les mises en doute et les critiques de ses collègues masculins. Elle commençait à s'identifier beaucoup trop à ce cadavre.

Pour la première fois depuis le début de leur rencontre, Miller eut l'air sincèrement amusé.

« Grands dieux, non ! Ça suffit rarement. Après tout, elle n'était pas spécialiste de Titien. Ses travaux portaient sur l'iconographie de la Renaissance en général.

— Donc elle écrivait, travaillait au musée et siégeait également au comité ?

86

— Personne ne l'a jamais accusée d'être paresseuse. Elle a toujours eu une grande conscience professionnelle. Elle publiait trop peut-être ? C'est possible. Certains de ses travaux étaient un peu légers. Et pas toujours aussi originaux qu'elle souhaitait le faire accroire, ça je le sais. Non, je suis à peu près sûr qu'elle a été nommée uniquement parce que c'était une femme.

— C'est-à-dire ? » demanda Flavia, piquée au vif.

S'il y avait bien une chose qu'elle détestait…

« C'est évident, non ? De nos jours, tous ces programmes doivent comporter une femme pour montrer à quel point on est ouvert et progressiste. Lorenzo y tient beaucoup ; c'est pourquoi il a accepté cette nomination. Il n'avait personne d'autre à proposer. Elle a eu beaucoup de chance, vu la situation.

— Vu quelle situation ?

— Vu que Lorenzo et Roberts ne sont pratiquement d'accord sur rien. Ce pauvre Roberts ! Il croyait qu'il rendait service à tout le monde en gérant les fonds de l'État. On avait certainement besoin de cet argent. Puis Bralle se retire et Roberts doit se coltiner Lorenzo, lequel essaie tout de suite de prendre la direction des affaires. Si Louise n'avait pas été une femme, elle n'aurait eu aucune chance d'être nommée.

— Quelle sorte de personne était-ce ? » demanda Flavia en se lançant une fois de plus sur sa piste favorite, tout en se disant qu'une autre pique de ce genre la ferait sortir de ses gonds.

Ils étaient parvenus à la jetée et elle voyait approcher le vaporetto. Il y eut une brève interruption dans leur conversation pendant qu'elle courait vers le kiosque pour acheter un billet.

« Je l'aimais assez, dit-il, en en rajoutant un peu afin de paraître équitable, quand Flavia revint enfin, porteuse de l'indispensable morceau de papier. C'était une assez bonne collègue. Pas facile à bien connaître et qui avait la dent dure. Elle ne supportait pas facilement les imbéciles.

— Étiez-vous amants ? »

Rien ne valait l'approche directe. La question fut suivie d'un long silence.

« Grand Dieu, non ! fit-il enfin avec un sourire teinté d'ironie. Louise était un iceberg humain. J'ai cru comprendre qu'elle avait une liaison avec Van Heteren. Lui était très amoureux. Ça dépasse l'entendement, franchement. Mais elle, ça l'empêchait de travailler, alors elle lui a signifié son congé. Ça l'a peiné. C'était sa faute. Je l'avais prévenu, mais ça n'a servi à rien.

— Quel est l'intérêt de ce comité ? Je veux dire, sur le plan personnel. Qu'est-ce que vous tous en retirez ? »

Il réfléchit un instant.

« À chacun ses raisons. J'aime à croire que nous sommes tous d'abord motivés par l'amour de la recherche, mais parfois, quand je vois les bagarres et les mesquineries, j'ai tendance à perdre un peu la foi. Roberts et Lorenzo aiment tous les deux mener la barque, même si leurs méthodes sont diamétralement opposées. Kollmar est un authentique chercheur, d'une façon presque naïve. Il serait incapable de reconnaître une manigance politicienne même si on lui fourrait le nez dedans. Van Heteren aime juste s'offrir du bon temps aux frais de la princesse. Quant à Louise, je crois que ce qui la poussait c'était l'ambition. »

On ne pouvait guère dire qu'il rendait un vibrant hommage à l'un quelconque de ses collègues, pensait Flavia tandis que le vaporetto traversait en haletant les cinq cents mètres de l'embouchure du Grand Canal en direction de la place Saint-Marc. On distinguait très bien, se dit-elle sans y prêter grande attention, les jardins où Louise Masterson avait été poignardée.

« Et vous ? » demanda-t-elle en se forçant à revenir à l'affaire.

Il lui sourit.

« Je suppose que vous me trouvez caustique. C'est vrai. Mais je ne suis pas tendre envers moi-même non plus. Moi, je suis motivé en premier lieu par le besoin de sécurité. Ça va m'aider au moment où l'on décidera de ma titularisation ; c'est pourquoi je suis sur des charbons ardents en ce moment.

— Pardon ?

— Nerveux. Aux États-Unis, après quelques années, les universités doivent décider si elles vous fichent à la porte ou si elles vous gardent pour de bon. C'est du sérieux, vu l'état du marché de l'emploi. Si je perds mon poste, je n'en retrouverai jamais un autre. Ma nomination à ce comité a été vraiment du pain bénit. Grâce à ça j'ai obtenu le soutien de Roberts et ça m'a apporté beaucoup de prestige. Puis Louise est assassinée et il devient moins recommandable d'y siéger. Surtout si on se met à pointer le doigt vers nous. Qui voudrait engager à vie quelqu'un soupçonné de meurtre ? »

Elle comprit pourquoi il était si tendu.

« Est-ce que Roberts a raison ? Vous soupçonnez réellement l'un d'entre nous ? »

Elle le plaignit soudain.

« Non, répondit-elle d'un ton rassurant. Il n'y a aucune raison. Vous possédez tous des alibis sans faille. Mon travail consiste seulement à démêler l'écheveau.

— Et quelles sont les chances de trouver le coupable ?

— Pas très bonnes, s'il ne s'est agi que d'une agression non préméditée. Mais on devrait recueillir assez d'éléments pour convaincre tout le monde qu'aucun de vous n'est impliqué. C'est ce que j'espère, en tout cas. Je n'aimerais pas que cette affaire fasse du tort à quelqu'un d'autre. »

Le vaporetto fit une embardée avant de s'immobiliser à l'arrêt San Marco. Ils se tinrent en file indienne, avançant pas à pas pour descendre du bateau, ce qu'ils réussirent à faire tout juste avant que la cohue des passagers voulant embarquer ne commence à pousser en sens inverse et bloque la passerelle. Après la bousculade, Flavia remit ses vêtements en ordre.

« Ravi de vous avoir rencontrée, dit-il au moment où elle se préparait à s'éloigner. Et merci de m'avoir rassuré. Je vous en suis reconnaissant.

— Nagez bien ! »

Miller se demanda si elle se moquait de lui.

« Ça me détend beaucoup, répondit-il comme s'il

cherchait à se défendre. Dans ce genre de circonstances, Louise aurait passé son temps à la bibliothèque à lire les dernières publications. C'est peut-être pour ça qu'elle a toujours mieux réussi que moi. »

Flavia haussa les épaules.

« C'est peut-être pour ça qu'elle est morte », conclut-elle.

Ce n'était qu'une bonne réplique finale qui ne comportait aucun sens caché, mais elle décontenança Miller. La jeune femme s'éloigna en jetant un coup d'œil à sa montre. C'était l'heure du déjeuner ; il lui fallait prendre des forces avant de passer au suivant.

5

Peu à peu Flavia imaginait Louise Masterson comme le type même de la vraie professionnelle américaine. Énergique, sérieuse, efficace. Tenace et perfectionniste. Doublée d'une grande bûcheuse ; à preuve, le soir du meurtre, elle était restée à la bibliothèque jusqu'à la fermeture. Ensuite elle était sortie sur la piazzetta, avait longé le quai avant d'entrer dans les Giardinetti Reali. C'est là, apparemment, qu'elle avait rencontré son assassin. Mais jusqu'à présent aucune personnalité n'émergeait. Elle avait dû être davantage que le bourreau de travail insensible décrit par Roberts et Miller, et Flavia espérait bien que l'entretien suivant l'aiderait à humaniser le portrait – dans la mesure, du moins, où elle ne se trompait pas en considérant que le visiteur évoqué de façon si obscène par le gardien de la fondation était bien Hendrick Van Heteren.

Comme son nom l'indiquait, Van Heteren était hollandais. Elle s'était préparée à trouver un petit homme nerveux et plein de tics, capable de s'agiter en six langues à la fois. Toute vague qu'elle était, cette impression se révéla aussi fausse que possible.

Il était énorme. Pas gros et gras, simplement énorme. De la taille de l'île d'Elbe, à quelques arpents près. Il avait une masse de cheveux qui se dressaient comme s'il venait d'être électrocuté et une barbe taillée tous les trois jours au sécateur. Poignée de main à vous broyer les os, large visage grêlé et particulièrement hideux bien que bizarrement avenant en même temps. Chemise bariolée à col ouvert contrastant avec la couleur terne de ses yeux, la tiédeur de son accueil et son air absent pendant qu'il parlait. Elle essaya la méthode de l'observation silencieuse pour l'amadouer mais s'aperçut qu'il lui renvoyait un regard morose ; elle s'empressa donc de changer de tactique et revint à un mode d'interrogatoire plus conventionnel.

L'appartement minuscule qu'il occupait – il apparte-nait à un ami et, avantage majeur, lui évitait de passer tout son temps à Venise entouré d'historiens de l'art, avoua Van Heteren d'un air sombre – était si exigu que c'était un vrai petit miracle qu'il parvînt à y entrer. Dire que le lieu était en désordre serait un euphémisme. Lit défait, socquettes jonchant le sol, des dizaines de livres éparpillés partout, toute la vaisselle et toutes les casse-roles de l'appartement sales et débordant d'un évier malodorant… Cela plut à Flavia. C'était sa manière de tenir une maison. Mais elle se demanda comment un tel homme pouvait s'entendre avec le méticuleux Roberts, l'honnête Miller et, à en juger par les apparences, le pédant Kollmar.

Elle l'interrogea là-dessus, cela lui paraissant la façon la plus directe de satisfaire sa curiosité.

Il eut un sourire gêné et reconnut que la question était légitime. Elle fut frappée par sa très évidente tristesse. C'était intéressant parce qu'exceptionnel. Jusqu'à présent Van Heteren était la seule personne qui semblait véritablement bouleversée par la mort de Louise. Son chagrin le rendit sympathique à Flavia, ce qui lui indiqua, une fois de plus, que sa partialité la disqualifiait pour s'occuper de ce dossier.

« Vous pensez qu'on n'est pas tous faits du même bois, n'est-ce pas ? » dit-il en anglais.

Il parlait couramment, sinon parfaitement, l'italien, et le néerlandais de Flavia brillait par son absence. En guise de compromis, ils s'exprimèrent en anglais, que l'Italienne maîtrisait bien et que Van Heteren maniait avec vigueur mais sans grande rigueur.

« Je suppose que vous avez raison, poursuivit-il. Bralle – j'imagine que vous avez entendu parler de lui désormais – est un homme tout à fait charmant et très accompli. Mais c'est un manipulateur. On peut dire qu'il a tout appris à Roberts, conclut-il avec malice.

— C'est-à-dire ?

— Voyons un peu… Que veux-je dire au juste ? C'est bien difficile de décrire le vieux. C'est vraiment un grand historien, mais il aime déstabiliser les gens. Des petits coups d'épingle, rien que pour vous décontenancer. Il a des favoris pour que chacun croie toujours qu'un autre a plus de valeur. Il lance des piques dans le dos des gens, vous voyez le genre. Il donne des petits surnoms souvent

95

drôles mais plutôt méchants. Il m'a toujours appelé Foutoir, je ne sais pas pourquoi. Il avait surnommé Kollmar l'Homme invisible. Ainsi de suite. Vous voyez à quoi il faisait allusion, ou, en tout cas, vous le verrez quand vous rencontrerez Kollmar, mais ce n'était pas toujours très gentil. Je pense qu'il nous a choisis exprès pour que nous ne nous entendions pas très bien. De manière à ce qu'il soit le seul à pouvoir faire fonctionner le comité.

— Mais il est parti et le comité a survécu.

— C'est vrai, pour le moment. Mais ça c'est une autre histoire. Roberts a réussi un tour de passe-passe en obtenant une subvention de l'État italien. Rien de tel que l'argent pour que les gens se supportent, même si cette idée n'avait pas du tout l'heur de plaire à Bralle. Dieu seul sait combien de temps encore ça pourra durer. Tôt ou tard, quelqu'un se fera poignarder dans le dos. »

Il eut l'air encore plus déprimé en s'apercevant qu'il n'avait peut-être pas précisément choisi la métaphore idéale. Flavia rangea cette remarque à côté de toutes celles lâchées devant elle ce jour-là. On ne pouvait pas dire qu'une harmonie parfaite régnait au sein du comité. Roberts et Lorenzo ne s'entendaient pas, Miller ne tenait pas Van Heteren en haute estime, Louise Masterson était hostile à Kollmar. Grands dieux ! cela ne faisait guère de publicité pour la vie contemplative. Même Bottando aurait eu du pain sur la planche s'il avait dû s'occuper de cette bande.

Elle inscrivit tous ces éléments dans son petit carnet puis, comme c'était l'usage, passa en revue avec Van

Heteren les détails de sa déposition. Tout fut vérifié. Il avait été en compagnie d'amis jusqu'à minuit passé, était rentré directement chez lui pour se coucher. Comme tous les autres, il était couvert pour l'heure de la mort de Louise. Dommage ! L'hypothèse sicilienne ne l'enchantait pas.

« Savez-vous si elle était pieuse ? »

La question parut le déconcerter.

« Pas vraiment. Elle portait une petite croix en or. Ne l'enlevait jamais. Mais c'était un cadeau de sa grand-mère ; ça n'avait aucune signification religieuse. Pourquoi cette question ?

— Seulement parce que, lorsqu'on l'a trouvée, elle gisait dans un parterre de lis, les doigts serrés autour de sa croix. Après l'agression, elle a été traînée dans une serre pleine de ces fleurs. »

Il la dévisageait comme si elle était un peu fêlée. Il était visiblement bouleversé par ces détails. Elle abandonna cette piste pour revenir à des éléments plus concrets.

« Bon, parlez-moi d'elle. J'ai cru comprendre que vous étiez amants… »

Au commencement de l'entretien, il avait été calme quoique morose, mais son humeur s'était dégradée dès qu'elle avait posé des questions à brûle-pourpoint. Environ cinq minutes après le début de l'interrogatoire, il montrait tous les signes de l'effondrement psychique. Il baissa les yeux, tordit quelque temps ses énormes mains, puis murmura que c'était vrai, en effet. Ou plutôt que ça l'avait été. Il ne savait plus.

« C'est le genre de choses qu'on sait, quand même.

— Eh bien ! je suppose que nous l'étions. On était très amoureux, mais on traversait une mauvaise passe, si vous voyez ce que je veux dire. C'était une femme merveilleuse. »

Cette opinion, qui allait complètement à l'encontre de celles de tous les autres témoins, était tout à fait inattendue.

« Parlez-moi encore d'elle.

— Oh ! je sais ce que pensent les autres – qu'elle était dure, impitoyable, ambitieuse. Ce n'est pas vrai du tout. Ce n'était qu'une façade. Elle était très sensible, vous savez. Très bonne… Ce n'était pas le genre de personne capable de faire le moindre mal à quiconque. »

Voilà un homme amoureux ! songea Flavia.

« Remarquez, les tout derniers jours, elle était plutôt nerveuse et surmenée. Elle travaillait comme une folle et était débordée. Elle était toujours un peu obsédée par son travail. C'était sa seule qualité contestable.

— Elle n'avait plus de temps à vous consacrer ?

— En gros. Elle disait que ce n'était que temporaire mais qu'elle travaillait sur un projet d'une énorme importance et qu'elle devait le terminer. J'ai bien essayé de comprendre, mais on ne se voyait qu'une fois par an et ça me chagrinait qu'elle semble me préférer la bibliothèque. Et j'avoue que je n'étais pas tranquille. Elle avait déjà plaqué plusieurs personnes. Je me demandais si… Bon, j'étais un peu jaloux et je lui en voulais ; alors j'ai commencé à me demander si Miller ne l'avait pas correctement jugée. »

Il sourit d'un air contrit comme s'il avait honte d'avoir eu cette pensée, et l'expression transforma son étrange visage d'une façon surprenante. D'absolument hideux, il devint extrêmement séduisant, et cette métamorphose soudaine déconcerta Flavia. Mais cela ne dura pas : la tristesse et l'inquiétude réapparurent tout de suite. Flavia avait cependant perçu, l'espace d'un instant, ce qui pouvait être attirant en lui.

« Par beaucoup de côtés, c'était une femme étrange. Sévère d'aspect, mais d'une rare qualité. Ça m'agaçait de voir mes collègues la traiter par-dessus la jambe. Ça la contrariait elle aussi. Je lui ai dit de ne pas leur prêter attention, comme moi. Mais elle considérait que ce n'était pas si simple.

» En tout cas, elle a travaillé davantage, publié encore plus, agi encore plus en professionnelle, dans tous les sens du terme. Généreuse et consciencieuse. Un petit exemple : on lui avait demandé d'écrire une recommandation pour la titularisation de Miller et elle allait lui faire une lettre dithyrambique. Elle ne l'aimait pas, ne lui devait rien, n'avait aucune estime pour son travail, mais elle pensait que ce serait terriblement injuste qu'il soit mis à la porte. Dans ces conditions, des tas de gens lui auraient fait une sale lettre… Il est vraiment barbant. Et, qui plus est, elle adorait le travail au comité. Sincèrement. Elle avait horreur des chamailleries et, la plupart du temps, elle n'en était même pas consciente.

— À vous entendre, elle ressemblait au Pr Kollmar. »

Il hocha vigoureusement la tête.

« Oui. C'était peut-être le problème. Pour une raison

que j'ignore ils ne s'aimaient pas. Ce tableau n'était qu'un prétexte pour se bagarrer. Kollmar la traitait comme une dilettante dont il ne respectait pas l'opinion. C'était très désobligeant. Il est un peu antiaméricain. Cela hérissait Louise et je devine qu'à son tour elle a fait des remarques on ne peut plus malheureuses sur son compte. Ça ne lui ressemblait pas.

— Par exemple ?

— Je ne sais pas. Je ne les ai pas entendues, mais Roberts était très mécontent. Je pense qu'il avait espéré qu'on allait adopter un ton plus digne après le retrait de Bralle. Davantage d'harmonie – avec lui comme chef d'orchestre, bien sûr. Il adore disserter sur la dignité de la profession. Il est un peu pompeux, un tantinet imbu de lui-même, mais peut-être est-il sincère. »

Il fit un geste de la main comme pour écarter un souvenir qu'il trouvait déplaisant.

« Tout ça, c'étaient des enfantillages, reprit-il d'un ton d'excuse, et, malgré les efforts de Roberts, ça ressemblait assez aux disputes qui éclatent parfois entre adolescents. Je suis certain que ça aurait fini par passer. Sur le moment, cependant, Kollmar s'était persuadé qu'elle complotait contre lui et il s'est vexé. Il a fait des commentaires particulièrement rosses sur elle, ce qui a choqué. Ce n'est pas la sorte d'homme qu'on imagine se passionnant pour autre chose que les documents d'archives. Ça, ça le passionne vraiment.

— Qu'a-t-elle fait pendant les jours qui ont suivi son arrivée ici ?

— On est tous les deux arrivés à Venise lundi. Elle a

passé le plus clair de son temps à la bibliothèque. On s'est vus le jeudi après-midi ; c'était la première fois qu'on était seuls, en dehors du soir de notre arrivée, quand je suis allé dans sa chambre. Au début, tout a été pour le mieux. Puis elle s'est plongée dans le travail et je ne l'ai pas beaucoup vue. Elle avait bien dit qu'elle viendrait vendredi soir pour se faire pardonner de m'avoir négligé, mais je devais sortir avec des amis, alors on a décidé de se voir un autre soir. Puis j'ai appris qu'elle était morte. »

Flavia compatissait beaucoup à sa peine mais savait qu'elle ne devait surtout pas le montrer. Elle était là pour obtenir des renseignements, pas pour réconforter ou consoler. C'est pourquoi, se faisant violence, elle changea de sujet, dans l'espoir que son interlocuteur passerait à quelque chose de moins éprouvant et qui lui permettrait de recueillir les indices dont elle avait besoin.

« Sur quoi travaillait-elle ?

— Aucune idée. Je suppose que c'était sur ce maudit tableau à propos duquel elle et Kollmar n'étaient pas d'accord, mais elle gardait pour elle son argumentation et ses conclusions. Apparemment, elle avait d'ultimes retouches à apporter à son exposé. Tout ce qu'elle a dit, c'est que c'était terriblement passionnant et qu'elle préférait de beaucoup s'adonner à sa recherche – elle évoquait un livre sur quelqu'un comme Giorgione – plutôt que de discuter à n'en plus finir avec les membres d'un comité où elle était indésirable. L'image d'une personne plaquant tout et s'en allant bouder sous sa tente donne un peu l'impression qu'elle s'apitoyait sur son sort, mais, en fait, elle était bizarrement de joyeuse humeur.

— Cela vous a surpris ?

— Bien sûr. Giorgione était son peintre préféré, mais il y a déjà des dizaines de livres sur lui. Cependant, poursuivit-il en regardant par la fenêtre d'un air nostalgique, Louise a toujours été un brin romanesque (voilà un nouveau point de vue ! pensa Flavia), il n'est donc pas étonnant qu'un homme comme Giorgione l'ait intéressée. Vous savez, le plus grand peintre que le monde ait jamais connu mourant, le cœur brisé, avec Titien à son chevet.

— Je croyais qu'ils étaient brouillés ? dit-elle en se rappelant la conversation qu'elle avait eue avec Roberts, espérant ainsi paraître dominer son sujet.

— Oh non ! pas selon Louise, en tout cas. Titien et la maîtresse de Giorgione n'étaient que bons amis, d'après elle. L'homme qui la lui avait volée était un autre peintre du nom de Pietro Luzzi.

— Et son intention de quitter le comité ? interrompit-elle brusquement.

— Oh, ça ! Je n'ai pas pris la menace au sérieux. Tout le monde passe son temps à menacer de démissionner, surtout après avoir perdu l'une de nos sempiternelles petites batailles. Je ne l'avais jamais entendue parler comme ça, mais ça m'a plutôt rassuré. Roberts aussi. Son absence l'avait préoccupé. Il a ri en affirmant qu'il était ravi d'apprendre qu'elle commençait à faire partie du groupe. C'est-à-dire à se mettre à se plaindre et à rouspéter comme nous autres. »

6

Lorsque Flavia rentra à son hôtel, elle trouva Argyll en train de l'attendre dans sa chambre. Il avait passé la plus grande partie de la journée à ne rien faire de constructif, à part aller d'une église à l'autre pour regarder des tableaux. Il paraissait assez disposé à rester là, du moment qu'il pouvait se servir librement du téléphone pendant qu'elle prenait un bain. L'heure de vérité était arrivée. Il avait finalement pris son courage à deux mains et décidé d'appeler la marquise.

Flavia se savonnait donc alors qu'il composait le numéro, et quand elle réapparut, le teint rose et lumineux, se sentant tout à fait en paix avec le monde, ils étaient l'un et l'autre de bien meilleure humeur.

Argyll avait révisé son opinion sur sa propre compétence en tant que marchand de tableaux. Peut-être était-il très doué, après tout. Déterminé, direct, de bonne foi. Bon négociateur. Impavide, comme un joueur de poker, conclut-il.

« Bingo ! annonça-t-il avec suffisance au moment où

103

Flavia réémergea au milieu d'un nuage de vapeur. Je l'ai eue. Il faut supprimer les intermédiaires ! je l'ai toujours dit. J'ai à nouveau refusé de faire sortir la marchandise en fraude et elle a répondu que la Pianta était une petite dinde – je la cite – d'avoir seulement évoqué cette possibilité. Bien sûr que l'affaire se traitait, et les détails financiers étaient tous réglés. J'ai Gagné la Bataille, conclut-il en mettant in petto des majuscules pour souligner à quel point il était content de lui. Mon prix est parfaitement acceptable et elle veut que je signe le contrat dès demain. Afin que j'entame les démarches en vue de l'obtention des licences d'exportation.

— Merveilleux ! s'exclama Flavia, sincèrement heureuse non seulement du fait qu'il ait enfin réussi quelque chose, mais aussi parce qu'elle n'aurait pas à l'entendre se plaindre toute la soirée. On va pouvoir fêter ça tout en faisant un peu gonfler ma note de frais. Elle est restée affreusement plate toute la journée. Et puis je pourrai t'amuser en te racontant les détails de mes entretiens de l'après-midi. Tu m'as dit que ça t'intéressait. »

Elle s'aperçut – sans l'avouer à Argyll dont elle ne voulait pas ébranler la foi en sa mémoire – qu'elle avait complètement oublié de poser des questions pénétrantes sur le tableau. Non pas, semblait-il, que Louise Masterson, de toute façon, eût jamais été très bavarde avec ses collègues.

Au comble du bonheur, Argyll contempla la vue de la lagune tandis que Flavia disparaissait à nouveau dans la salle de bains pour s'habiller. Puis elle le conduisit en direction d'un restaurant particulièrement cher, commanda un apéritif costaud et le lui fit presque entièrement avaler, avant de lui présenter un compte rendu succinct mais précis de ses diverses activités de la journée.

« Eh bien ! voilà, conclut-elle. Qu'en penses-tu ?

— Tout à fait intéressant. Rien n'est plus passionnant que d'analyser la dynamique d'un petit groupe. Je remarque que tu ne sembles pas avoir été vraiment séduite par Roberts.

— C'est un pédant solennel : "Nous les spécialistes..." Ce genre de stupidités...

— Ah ! fit Argyll, je vois : les beaux-arts, c'est notre affaire ; vous les femmes, tenez-vous-en au tricot ! C'est pour ça qu'il a fini par te porter sur les nerfs.

— En partie. Il y a eu un meurtre, Dieu du ciel ! et, à part Van Heteren, ça ne semble pas beaucoup bouleverser les gens à qui j'ai parlé jusqu'à présent. Miller affirme qu'elle était ambitieuse et s'inquiète surtout des effets que ça pourrait avoir sur sa carrière. Roberts me couvre d'amabilités tout en m'assurant que, tôt ou tard, elle aurait peut-être pu devenir utile. Et, apparemment, Kollmar la trouvait méchante.

— Elle semble avoir été très douée pour se faire des ennemis, hasarda Argyll avec prudence, se rendant vaguement compte, cependant, que ce n'était peut-être pas la chose à dire.

— Tu vois ! s'écria Flavia avec indignation, au comble de l'énervement, tu es exactement comme les autres ! On la décrit comme arriviste, agressive, ambitieuse. À part Van Heteren, la seule qualité que ses collègues lui reconnaissent, c'est d'avoir été consciencieuse. Consciencieuse ! Ha ! S'il s'agissait de Roberts, ils s'extasieraient sur son dynamisme, sa fécondité et son originalité. Elle publie des livres, des articles, travaille comme une folle, et Miller la décrit comme la femme alibi. Elle reproche à Kollmar de bâcler son travail et il la traite de méchante. La pauvre femme est assassinée et toi, tu penses qu'elle se faisait facilement des ennemis. Tu vas bientôt dire que c'est bien fait pour elle. Que tout est de sa faute. Assassinat compréhensible... »

Il la regarda d'un air chagrin. Il y eut un long silence après cet éclat. La jeune femme le foudroyait du regard.

« Tu es sûre que tu ne t'identifies pas un peu trop à elle ? demanda-t-il.

— Bien sûr que si. Et pourquoi pas ? Peux-tu imaginer ce que c'est que de travailler avec des hommes d'un certain âge qui vous traitent tous comme une superdactylo ? Roberts me fait un cours comme si j'étais une étudiante de première année ; je suis envoyée ici par Bottando pour la seule raison que je suis totalement inoffensive ; Bovolo me fait des compliments visqueux sur la manière dont je m'habille et ne m'autorise à rencontrer ces gens que parce qu'il est certain que ça n'aboutira à rien. Ça te plairait à toi ? »

Une autre longue pause suivit. Flavia bouillait en silence, tandis que le malaise d'Argyll augmentait. Il n'avait jamais remarqué cet aspect du caractère de la jeune femme. Jusque-là il avait toujours cru qu'elle allait gaiement son train, insensible au monde extérieur. À l'évidence, il n'avait pas été très attentif.

« Tu as tout à fait raison, bien sûr. Excuse-moi », fit-il au bout d'un certain temps.

Il y eut encore un grand blanc dans la conversation, pendant que Flavia se rassérénait et qu'Argyll espérait que sa remarque n'avait pas mis à mal leur solide amitié. Mais, une fois de plus, il fut stupéfié par la faculté qu'avait Flavia d'exploser de manière si convaincante et de se calmer en un rien de temps.

« Je ne savais pas que Bottando t'agaçait à ce point », ajouta-t-il lorsqu'il jugea que le niveau des radiations atomiques était suffisamment retombé.

Flavia parut déconcertée.

« Bottando ? Il ne m'agace pas. Il fait ce qu'il peut. De plus, je me suis habituée à lui. C'est tous les autres. Tout ce que je voulais dire, c'est qu'il ne fallait pas prendre ces opinions sur Louise Masterson au pied de la lettre. D'autant plus que l'une d'entre elles peut fort bien être un tissu de mensonges fabriqué par un assassin.

— Pourtant, à mon avis, tu as constitué un excellent dossier pour expliquer les bonnes raisons qu'avait Louise Masterson de poignarder l'un de ses collègues, mais tu n'as pas la moindre idée de ce qui a pu pousser l'un d'entre eux à la tuer, fit-il remarquer.

— C'est vrai.

— Alors on revient au rôdeur sicilien ? C'est tout simple et ça résout tous les problèmes. »

Flavia le regarda avec dégoût. L'horrible pensée qu'en fin de compte Bovolo avait peut-être raison lui

107

avait traversé l'esprit pendant qu'elle revenait de chez Van Heteren. Mais elle avait écarté cette idée qui ne pouvait être que le fruit de sa grande fatigue. Et elle ne voulait pas que quelqu'un comme Argyll fasse germer la petite graine du doute.

Puisqu'elle n'avait pas de théorie de rechange, ils abandonnèrent complètement le sujet, terminèrent leur dîner, puis rentrèrent à l'hôtel. Alors Argyll se lança dans une longue tirade pour lui souhaiter un bon voyage de retour à Rome. Elle, elle était partagée. D'un côté, elle avait envie de se laver les mains de toute cette histoire : l'affaire semblait mort-née ; ça ne mènerait à rien et lui causerait beaucoup d'ennuis chemin faisant... De l'autre, ça lui déplaisait de laisser les choses en l'état et elle se doutait que Bovolo allait en faire un beau gâchis. Et puis, la pensée de rentrer à Rome pour assister à l'éventuel démembrement du service ne l'enthousiasmait pas. Or, si elle découvrait le véritable assassin...

« Ah ! il y a un message pour vous, signorina », annonça le réceptionniste au moment où elle passait prendre sa clé.

Le message émanait de Bovolo. C'était sans doute sans importance et ça pourrait attendre jusqu'au lendemain matin. Cependant, sa matinée serait atrocement surchargée si, avant de prendre l'avion de midi, elle ajoutait aux entretiens indispensables avec Lorenzo et Kollmar une conversation avec le commissaire qui pouvait s'avérer longuette... Et elle avait horreur de rater l'avion. En outre, comme il était déjà plus de vingt-deux heures, elle eut envie d'impressionner le revêche policier par son ardeur au travail. Avec un peu de chance, il se pourrait même qu'elle le réveille.

Elle composa le numéro et, à sa grande surprise, on lui passa le poste sur-le-champ. Suivit alors, pendant qu'elle écoutait son interlocuteur, une longue série de « hum », de « ah » et de « haha », puis ce fut le silence. Elle se retourna pour retenir Argyll qui se dirigeait sans se presser vers la porte. Elle lui fit signe de rester.

Enfin, elle psalmodia son dernier « euh... hum ! » et reposa l'appareil. Elle regarda vers Argyll avec une expression qui signifiait : « Dis donc ! j'ai une sacrée nouvelle à t'annoncer ! »

« Eh bien ! Qu'est-ce que c'est ?

— L'assistant de Bovolo, avec le dernier épisode. Je crois que mon départ de Venise va devoir être retardé. »

Elle regagna la réception pour prolonger son séjour.

« Apparemment, reprit-elle, une fois qu'elle se fut assurée d'avoir un lit, le Pr Roberts vient d'être repêché du canal, on ne peut plus mort. Viens me tenir la main... J'ai horreur des macchabées. »

C'était la vue bien connue, rendue insolite par l'atmosphère : une rue étroite et deux minuscules passages pour piétons de chaque côté d'un canal sombre ; on distinguait également une jolie enfilade de ponts voûtés. Sous un meilleur éclairage et dans des circonstances plus normales, c'eût été la carte postale parfaite représentant la Venise chère aux touristes.

Quelques centaines de mètres plus bas, en longeant le

canal qui se dirige vers le sud à partir de la Ca' Rezzonico sur le Grand Canal, on débouche sur une toute petite place dont le seul titre de gloire est d'être ornée de San Barnaba, église à la beauté austère malgré ses dimensions réduites. La place était presque entièrement plongée dans l'obscurité, à part le petit îlot de luminosité que créaient les puissants projecteurs apportés par la police à bord d'une vedette. Ils étaient braqués sur un ballot sans forme posé à même le quai et recouvert d'un grand drap blanc.

Quand ils finirent par trouver la place, Flavia, discrètement suivie par Argyll, hâta le pas pour se joindre à un petit groupe d'environ une demi-douzaine de personnes qui se tenaient dans la flaque de lumière. Ils avaient mis un certain temps à arriver sur les lieux, la topographie de Venise étant particulièrement déroutante la nuit. Au moins, il ne pleuvait pas. Au cours de la journée il avait commencé à faire très froid et le vent s'était levé pour la première fois de l'année ; l'averse n'allait sans doute pas tarder à tomber. Mais ce n'était pas encore le cas.

Flavia s'était emmitouflée dans son manteau de fourrure. Il ne lui plaisait pas vraiment, mais il avait appartenu à sa mère pour qui une fourrure constituait un atout dans la course au mari. Elle n'arrêtait pas de lui fournir ce genre d'éléments de trousseau, tout en faisant de grands efforts pour dissimuler à quel point cela l'affligeait d'avoir une fille de trente ans ayant coiffé sainte Catherine. Mais, quel que fût son effet théoriquement magique sur les bons partis, le manteau ne sembla pas

110

stimuler les ardeurs du commissaire Bovolo, qui contempla Flavia d'un air fort mécontent.

« Nous attendions, dit-il à Flavia d'un ton sec qui sous-entendait qu'elle s'acquitterait mieux de ses fonctions si elle passait moins de temps à sa toilette.

— Que s'est-il passé ? »

Il haussa les épaules.

« Il s'est noyé. Ne me demandez pas comment. Pas moyen de le savoir. Il a probablement glissé.

— Aucun signe de violence ?

— Il n'y a pas eu homicide, si c'est ce que vous voulez dire. »

Il savait très bien que c'était le sens de sa question.

« Il est mort depuis combien de temps ? »

Bovolo eut un nouveau haussement d'épaules.

« On ne peut pas le dire avec précision. Pas long-temps. Il a été trouvé il y a environ une heure par les éboueurs. Ils avaient fait tomber un sac par-dessus bord, ils ont essayé de le récupérer et ont ramené le corps à la place. Ils nous ont attendus vingt minutes sur leur bateau. Il ne sent pas la rose, je dois dire », conclut-il.

C'était un détail superflu, mais tout à fait exact. Ils se dirigèrent lentement vers le bord du canal où un petit groupe de divers officiels s'était rassemblé. Tous les regards convergeaient vers l'un des plus grands spécialistes mondiaux de la peinture de la Renaissance, même si le passant pressé n'eût pu le deviner.

L'aspect du Pr Roberts n'était pas amélioré par la généreuse couche d'épluchures de pommes de terre qui couvrait sa veste de gros tweed des Hébrides tissé à la

111

main, et son autorité de grand savant était ébranlée par la très forte odeur qui émanait de lui désormais. La crinière de cheveux poivre et sel, jadis si élégamment coiffée, était crasseuse, détrempée et entremêlée de bouts de...

Flavia fit une grimace de dégoût et s'empressa de passer à un objet de réflexion autre que le mauvais fonctionnement des égouts de Venise. Bien qu'elle n'eût pas éprouvé une énorme sympathie pour l'homme, elle ne pouvait s'empêcher de penser qu'il méritait une fin plus digne que celle-ci.

« Est-ce là tout ce que vous pouvez dire ? Le corps a été découvert à vingt et une heure trente ? (Bovolo opina du chef.) Mais quand est-il tombé dans le canal ?

— Autant qu'on puisse l'établir pour l'instant, vers dix-neuf heures, sans doute. On en apprendra peut-être davantage quand les médecins l'auront un peu tripoté. »

Il appela un de ses subordonnés qui lançait des morceaux de bois dans l'eau puis les contemplait attentivement. Flavia avait d'abord cru qu'il agissait ainsi par désœuvrement mais elle fut vite détrompée.

« Eh bien ? » demanda Bovolo lorsque l'homme s'approcha.

Le jeune homme boutonneux se mit au garde-à-vous et s'exprima avec l'étrange accent du Vénitien de souche.

« Environ deux cents mètres à l'heure, autant que je puisse en juger, monsieur le commissaire. Le courant amène l'eau du Grand Canal. »

Bovolo prit un air supérieur pour s'adresser à Flavia.

« Ça fait partie de la culture vénitienne... C'est la raison pour laquelle on n'aime pas trop que des étrangers viennent se mêler de nos affaires, expliqua-t-il avec une certaine outrecuidance étant donné que son accent révélait sans conteste son origine milanaise. Ce qu'il veut dire, c'est que ça (il fit un geste en direction du cadavre de Roberts) a dû tomber entre quatre et six cents mètres en amont, selon le moment où il est entré dans l'eau. »

Le jeune policier recommença à parler, mais Bovolo lui coupa la parole avec impatience. Il était à son affaire. Il désigna le Grand Canal.

« Il est probablement tombé à l'arrêt Ca' Rezzonico du vaporetto. Il a dû s'y rendre à pied depuis sa maison qui se trouve sur ce petit canal, un peu plus bas. Il va falloir qu'on y aille pour vérifier s'il y a une trace de glissade. Pour interroger tous les voisins, ce genre de choses. Accident regrettable. Affreux.

— Vous croyez qu'il s'agit d'un accident ? » s'enquit Argyll, qui n'avait pas encore ouvert la bouche, d'un air incrédule.

Bovolo lui jeta un regard glacial et Flavia lui marcha lourdement sur le pied. Il se tut tandis que Flavia négociait avec le policier l'obtention de copies de l'autopsie et de l'enquête. Bovolo finit par accepter après avoir lancé à Argyll plusieurs coups d'œil soupçonneux.

« Mais attention, ne rêvez pas ! la prévint-il en guise d'adieu. Souvenez-vous de votre rôle ici. Et, je vous en prie, ne croyez pas que ce petit incident vous oblige à repousser votre départ. Je suis persuadé qu'on a davantage besoin de vous à Rome qu'ici. »

Sa voix s'estompa comme Flavia s'éloignait d'un pas alerte, avec Argyll sur les talons.

« Pas la peine de courir, lui cria-t-il, au moment où elle tournait le coin et sortait du champ de vision de Bovolo qui les suivait du regard. Tu ne fais pas la course. »

Dès qu'elle jugea qu'ils ne pouvaient plus être entendus, elle ralentit et choisit avec soin une ruelle calme et isolée. Elle s'y engagea et, pour se libérer de quarante-huit heures de frustration réprimée, hurla à gorge déployée pendant quelques secondes avant de flanquer des coups de pied dans le mur.

Mains dans les poches, Argyll attendit patiemment qu'elle ait fini. Ce n'était pas la première fois qu'elle se défoulait en hurlant à tue-tête. Les horreurs qu'elle proférait alors étaient atroces.

« Ça va mieux ? demanda-t-il lorsqu'elle se fut un peu calmée.

— Que le diable emporte ce petit... morveux prétentieux ! s'écria-t-elle d'un ton rageur en s'efforçant de digérer les commentaires de Bovolo et ses conclusions.

— Tu penses qu'il peut se tromper ?

— Se tromper ? »

Argyll tressaillit lorsqu'une lumière apparut soudain dans une maison voisine et qu'une tête sortit par la fenêtre pour voir d'où venait le raffut.

« Ha ! comment peut-on être aussi obtus ? Un accident regrettable... Pouah !

— Oui, j'ai pensé qu'il allait vite en besogne, remarqua Argyll pour l'inciter à s'exprimer un peu plus sereinement. Alors pourquoi m'as-tu marché sur le pied ? Tu fais toujours ça. Ça fait mal, tu sais. »

L'ayant persuadée de quitter la ruelle, ils traversèrent un pont étroit tandis que Flavia se calmait mais frémissait toujours de colère. Deux éclats en une seule soirée. C'était une grande dépense d'énergie, même pour elle. Elle ramassa une pierre qui se trouvait sur le parapet de ciment et la propulsa dans le canal en contrebas afin de se délester encore un peu ; le geste fut salué par le cri de fureur du propriétaire de la péniche qui passait à cet endroit.

« Oh ! la ferme ! hurla-t-elle en retour. Je ne t'ai pas touché... Et toi aussi tu peux la fermer ! » lança-t-elle rageusement à Argyll qui se tordait de rire.

Il gloussa encore un peu, tout en s'efforçant de maîtriser sa voix et de parler avec cohérence.

« Pardonne-moi », commença-t-il, avant d'être secoué par de nouveaux éclats de rire.

Au moment où ses gloussements reprenaient, il passa machinalement le bras autour des épaules de Flavia et la serra fraternellement contre lui.

« Ne sois pas grotesque ! » fit-elle d'un ton vif.

Elle était si furieuse que ce qui restait de sa colère se déversait désormais aussi sur son compagnon. Argyll cessa de rire et retira son bras.

« Désolé, dit-il, dégrisé. Je sais bien que c'est une affaire sérieuse.

— En effet, répondit-elle sèchement, bien qu'elle eût

115

commencé à se rendre compte que sa réaction était excessive. Dieu du ciel ! je suis si fatiguée, d'un seul coup...

— Tu veux faire un tour ? J'ai l'impression qu'une bonne petite marche dans la ville te ferait du bien et t'aiderait à reprendre tes esprits. »

Elle secoua la tête.

« Non. La soirée a été de mal en pis. Ça ne ferait qu'empirer. Je veux rentrer à l'hôtel et me coucher sans plus tarder. Je suis vannée. »

7

Elle était en train de prendre son petit déjeuner, l'air abattu, lorsque Argyll réapparut une fois de plus. Elle lui fit signe d'approcher et il se laissa tomber lourdement sur la chaise en face d'elle. Le marchand de tableaux dynamique de la veille n'était plus tout à fait dans son assiette, ce matin-là.

« Comment vas-tu ? demanda-t-il d'une voix morne. Tu n'as pas l'air en forme. »

Elle poussa un grognement.

« Ça va à peu près. Tu n'as pas bonne mine, toi non plus. Qu'est-ce qui se passe ?

— Ce n'est peut-être pas grave, répondit-il avec réticence. Mais j'avais rendez-vous avec la marquise aujourd'hui pour discuter de l'enlèvement des tableaux. Tu t'en souviens ? Alors j'ai appelé, rien que pour préciser l'heure où je passerais, et j'ai été reçu comme un chien dans un jeu de quilles. C'est à nouveau la Pianta que j'ai eue au bout du fil et j'ai eu le sentiment qu'elle voulait littéralement faire barrage avec son corps. Elle a annulé le rendez-vous. Sais pas pourquoi.

— Peut-être qu'elles vont faire des courses ou quelque chose comme ça. Ça n'a pas vraiment d'importance, si ? Après tout, la marquise a accepté de vendre.

— Je l'espère. Mais je n'ai pas encore le contrat. Ça me tracasse un peu. Question d'instinct... Il me semble que tu n'as pas beaucoup d'appétit. C'est toujours un mauvais signe. »

Elle tritura un croissant, l'air morose.

« C'est parce que ça ne marche pas très fort ici. On m'a fait venir pour aider à tirer un crime au clair. Et voilà qu'il y en a deux maintenant, nom d'un chien ! Et je ne peux pas m'empêcher de penser que c'est ma faute !

— Pourquoi ?

— C'est évident, non ? Quelque chose dans ma façon de les interroger a servi de déclencheur. Et flac !

— Je n'en suis pas si sûr. Je n'ai pas l'impression qu'aucun d'entre eux ait été particulièrement troublé. Tu ne les as pas vraiment traités en gibier de potence. Mais j'admets que pour le monde extérieur un second crime ne va pas être à première vue salué comme un rapide progrès de l'enquête. »

Elle poussa un nouveau grognement. Elle n'avait pas besoin qu'il lui fasse un dessin.

« Donc, en dépit des affirmations de Bovolo, tu crois qu'il s'agit d'un crime ? Tu as déjà pris ton petit déjeuner ?

— Oui et non. Et oui. Je veux dire que je crois qu'il s'agit d'un crime. Je n'ai pas pris mon petit déjeuner, et,

118

en réponse à ta question tacite, j'aimerais bien manger quelque chose. Plus j'ai de soucis, plus j'ai faim. »

Elle commanda un petit déjeuner pour lui et, après un instant d'hésitation, elle décida de ne rien demander pour elle-même. Argyll la regarda d'un air inquiet.

« Je suppose, dit-il après un court silence, qu'il a pu glisser, en effet. Mais force est de reconnaître que ça semble assez improbable. »

Malgré ses fréquentes inepties, Argyll possédait au moins une qualité : il était souvent de l'avis de Flavia. Elle était sur le point de répondre lorsque le serveur – cet ange de miséricorde, ce messager de bonnes nouvelles – revint dans un glissement silencieux de souliers cirés et de chromes étincelants. Elle étudia l'amas de petits pains frais, de croissants et de confitures entassés devant Argyll et sentit renaître son appétit.

« Peut-être. Mais je n'ai pas l'impression que Bovolo sera d'accord », dit-elle, en s'emparant d'un petit pain et en le recouvrant avec délicatesse de confiture.

Force-toi à manger quelque chose, pensa-t-elle. Arrête de te faire du mouron...

« La thèse de l'accident serait, bien sûr, très commode.

— Ça ne tient pas debout, rétorqua-t-elle d'un ton brusque en s'essuyant la bouche, tout en reluquant un croissant.

— Par conséquent, tu continues la chasse à l'homme.

— Impossible. Le rapport est envoyé au juge d'instruction local. S'il décide qu'il n'y a pas matière à poursuivre, l'affaire est close.

— Sauf que, naturellement, il peut se tromper.

— En effet, mais c'est un détail. Pourquoi penses-tu qu'il s'agit d'un crime ? demanda-t-elle en piquant quelques petits cubes de melon.

— Trop de coïncidences, c'est tout. Il me semble plus raisonnable de considérer que quelqu'un l'a assommé. Tu as mangé tout mon petit déjeuner, tu t'en rends compte ? » conclut-il, dépité.

Elle n'eut pas le temps de s'excuser. Elle ouvrait la bouche pour proposer de rappeler le serveur lorsqu'elle remarqua une silhouette imposante qui était entrée dans la salle à manger et se dirigeait vers leur table.

« Dieu du ciel ! fit-elle.

— Ah ! je savais bien que j'avais des chances de vous trouver dans la salle à manger ! s'exclama Bottando, l'air très fier de lui. Rien qu'un pressentiment, vous savez.

— Mais qu'est-ce que vous fabriquez ici ? »

Il la fixa d'un regard pénétrant.

« Je viens pour le travail, évidemment. Quoi d'autre pourrait m'amener dans cet endroit affreux ? J'ai bien essayé de téléphoner, mais vous dormez toujours à poings fermés. De nouveaux tableaux ont disparu. J'ai décidé de venir mettre mon nez là-dedans et de voir comment vous vous en tiriez. J'espère que vous appréciez ma présence autant que vous le devriez. Je viens de souffrir une heure entière dans une de ces boîtes de conserve volantes et je me sens patraque. Je crois comprendre, ajouta-t-il en jetant un coup d'œil aux assiettes, qu'il y a eu un autre décès... »

Il se tut et commanda un petit déjeuner, ajoutant un

supplément pour être sûr qu'il lui resterait quelque chose.

« Monsieur Argyll... Quelle surprise ! »

Le ton ironique indiquait que ce n'en était pas une. Argyll eut soudain l'impression que le général tirait des conclusions hâtives de ce petit déjeuner en tête à tête.

« Nous étions en train de discuter de cette affaire, expliqua-t-il, pour remettre les choses au point le plus vite possible. Il semble que j'y sois un peu embarqué. »

Bottando ferma les yeux et poussa un grognement sourd.

« Grands dieux ! s'écria-t-il. Et moi qui espérais que ce ne serait qu'une petite excursion d'une journée !

— Jonathan m'a beaucoup aidée », répliqua Flavia.

Elle savait que Bottando avait toujours considéré Argyll comme quelqu'un qui attire les accidents, la sorte de personne qui peut rendre une chose simple extraordinairement compliquée. Il avait, certes, de bonnes raisons de le penser. Mais la justice exigeait qu'elle dise la vérité.

« J'en suis certain, commenta Bottando d'une voix grincheuse. L'ennui, c'est que si je suis ici c'est en grande partie à cause de lui. »

Pour marquer son étonnement, Argyll réussit à lever les sourcils une fraction de seconde avant Flavia. S'il la devança, elle parvint cependant à les lever l'un après l'autre, un exploit qu'il lui avait toujours envié.

« Je n'aime pas ça, déclara-t-il.

— Ça ne m'étonne pas. Hier soir, vers onze heures, une dizaine de tableaux ont été dérobés dans un palais

121

de Venise. Rien d'exceptionnel à ça. Ça arrive tout le temps. Mais comme la propriétaire a déclaré qu'elle pensait que le suspect le plus probable était Jonathan Argyll, j'ai pensé que...

— Quoi ? s'écria Argyll, horrifié. Moi ? Pour quelle raison pourrait-on m'accuser de... ?

— Les tableaux étaient – et sont toujours, techniquement parlant – la propriété de la marquise di Mulino. Il semble que vous étiez en train d'en négocier l'achat. Vous n'étiez pas d'accord avec le prix demandé, alors vous êtes passé à l'action et les avez obtenus ainsi à bien meilleur coût. C'est là son hypothèse. Ou plus exactement celle de la personne qui a porté plainte, une certaine signora Pianta. »

Argyll devenait très fort dans l'art de se balancer d'avant en arrière sur sa chaise. À ces mots, il accéléra le mouvement, ouvrit plusieurs fois la bouche sans que le moindre son en sortît, puis se passa la main sur le front en un geste qui paraissait indiquer l'angoisse. Bottando, qui avait déjà assisté à plusieurs manifestations d'incohérence de la part du jeune Anglais, ne fut pas tenté d'interpréter celle-là comme un signe de culpabilité.

« Évidemment, reprit-il, meublant le vide pour lui laisser le temps de reprendre suffisamment ses esprits et de retrouver la parole, ça semble peu probable. Mais, tout bien considéré, j'ai décidé qu'il valait mieux que je mène moi-même l'enquête. » Il sourit d'un air encourageant. « J'espère que vous appréciez cette décision. J'ai abandonné les propositions de budget à un moment très délicat.

— Ils ont disparu ? demanda Argyll, sans prêter la moindre attention aux problèmes administratifs du pauvre Bottando. Comment ? C'est grotesque. J'avais déjà accepté de les acheter. Je devais aller signer le contrat ce matin même. C'est affreux ! » balbutia-t-il.

Bottando étala ses mains potelées sur la table.

« Je ne fais que répéter ce qu'on m'a raconté aux premières heures de la matinée. Aux premières heures, j'insiste. Non pas que j'attende des remerciements. Je ne pense pas que vous ayez un alibi pour l'heure en question, n'est-ce pas ?

— Bien sûr que si. J'étais avec Flavia. »

Bottando, qui était en fait plutôt du genre sentimental, lui fit un radieux sourire prouvant qu'il n'avait pas du tout saisi la situation.

« Parfait ! Mais alors cela signifie que vous ne les avez pas volés...

— Bien sûr que non ! s'exclama Argyll avec indignation.

— Quel dommage ! Pensez à quel point cela m'aurait simplifié la vie. Ça ne vous dirait rien de faire une toute petite confession, ne serait-ce que pour adoucir les dernières années d'un vieil homme ?

— Je n'ai pas chipé ces satanés tableaux. Je ne saurais même pas comment m'y prendre. Et où croyez-vous que je les aurais mis ? Dans ma chambre d'hôtel ? Et d'ailleurs, qu'est-ce qu'on a volé ? »

Bottando sortit une liste et la lui tendit.

« Je pressentais que vous n'alliez pas être coopératif », ajouta-t-il d'une voix triste.

Argyll parcourut la liste tandis que Flavia se tordait le cou pour la lire.

« Tous mes tableaux..., fit-il, atterré.

— Y compris le portrait de Louise Masterson », précisa Flavia. Bottando lui demanda de s'expliquer.

« Louise Masterson s'intéressait à l'un de ces tableaux tout à fait mineurs que Jonathan cherchait à acquérir. Pour l'instant, on ne sait pas pourquoi.

— Je m'en doutais, répondit son patron, accablé. Je sens que je vais faire expulser votre ami. Allez-y ! Racontez-moi tout ! »

Lorsqu'elle se tut enfin, Bottando avait presque terminé son petit déjeuner. Respectant sa promesse, il s'était tenu absolument coi, sauf pour ponctuer à l'occasion les propos de Flavia d'un grognement ou d'un hochement de tête. Il savait écouter et toujours avec politesse. C'était là une de ses plus grandes qualités. Son humeur paraissait aussi s'améliorer sensiblement au fur et à mesure qu'il se remettait de l'épopée du vol matinal de Rome à Venise. Flavia avait chaque fois du mal à comprendre comment quelqu'un de sa trempe pouvait avoir une telle frousse de l'avion.

« Vous voyez, j'avais raison, déclara-t-il avec bienveillance une fois qu'elle eut achevé son récit. Dès que M. Argyll entre en lice, tout devient tortueux et extrêmement compliqué. Quand je vous ai envoyée ici, il s'agissait d'une simple agression. Et maintenant, regardez où on en est ! C'est un véritable imbroglio ! »

Mais pendant qu'il parlait, dans son œil brillait une petite lueur ; il paraissait ragaillardi par l'idée qu'un dossier aussi ennuyeux pouvait peut-être comporter un élément qui, en fin de compte, justifiât son voyage.

« Que pensez-vous de toute cette affaire ? »

Il s'adressait aux deux jeunes gens, pour signaler implicitement à Argyll qu'il lui pardonnait d'être là et qu'il pouvait donner librement son avis. Mais celui-ci, qui souffrait encore un peu des divers traumatismes de la matinée, préféra rester discret.

« Je n'ai pas encore interrogé tout le monde, commença-t-elle, mais si on prend pour hypothèse que Louise Masterson a été tuée par quelqu'un qui la connaissait, plutôt que par un mythique Sicilien, alors il y a cinq suspects possibles – les autres membres du comité. Si l'on élimine Roberts – comme quelqu'un l'a déjà fait, pour ainsi dire –, alors il n'en reste plus que quatre.

— Par conséquent, l'interrompit Bottando, peut-être vaudrait-il mieux attendre quarante-huit heures de plus et réduire encore un peu l'éventail des possibilités ?

— Ha ! ha ! Comme je le disais, ils possèdent tous de solides alibis, aussi est-il impossible de faire le tri de cette façon. D'abord, il y a Miller. Il parle d'elle avec condescendance. Il sous-entend qu'elle était ambitieuse et qu'elle faisait beaucoup d'esbroufe, qu'elle n'était pas du tout une vraie chercheuse. Il y a une certaine dose de jalousie là-dedans : elle avait bien mieux réussi que lui. Mais aucun véritable mobile, et il avait d'ailleurs besoin d'elle pour une lettre de recommandation. De même, elle semble avoir été la chouchoute de Roberts. »

Bottando hocha la tête.

« Pas très convaincant, tout ça ! s'écria-t-il d'un ton joyeux. Au suivant !

— Ensuite, il y a Kollmar. Je le vois ce matin, mais il est de notoriété publique que lui et Louise Masterson ont eu un différend au sujet d'un tableau qu'il avait examiné. Ils ne s'entendaient pas, quoique lui et Roberts aient été de vieux collègues. Il semblait aussi être à la botte de Roberts. Le fait est que Roberts avait demandé à Kollmar de lui apporter certains documents hier soir et que le corps a été trouvé en train de descendre le canal près de l'endroit où Roberts habitait. Son alibi pour Louise Masterson tient la route.

— Toujours pas convaincant, mais à étudier de plus près, commenta Bottando.

— Tertio, il y a Roberts. Aucun mobile pour trucider Louise, autant que je puisse en juger. Et, bien sûr, il a lui-même passé l'arme à gauche. C'était une sacrée petite peste, mais c'était le protecteur de Louise. »

Bottando opina du chef.

« Enfin, à part Lorenzo que je n'ai pas encore rencontré, il y a Van Heteren, dont la liaison avec la victime était sans doute en train de capoter. Un brin de jalousie, peut-être. C'est un homme impétueux, je pense, capable de commettre un crime passionnel, mais c'est le genre de personne – à mon avis – qui, bourrelé de remords, serait passé aux aveux tout de suite après. En outre, il possède lui aussi un bon alibi et il n'avait aucune raison à mes yeux d'envoyer Roberts dans l'autre monde.

— Mais qu'est-ce qu'elle faisait dans ce jardin ?

— Je ne sais pas. Bovolo pense qu'elle attendait un bateau-taxi pour regagner l'île à cause de la grève des transports, mais ça reste un mystère. Le vol des tableaux en est un second, dans la mesure où il y a un rapport.

— Pourquoi y en aurait-il un ?

— Je donne ma langue au chat ! mais quand une femme s'intéresse à un obscur tableau, qu'elle se fait assassiner et que le tableau est volé quelques jours plus tard, alors ça commence à me mettre la puce à l'oreille. »

Bottando se versa une autre tasse de café, ajouta une infime dose de lait et une énorme quantité de sucre, puis remua d'un air pensif.

« Le dossier est maigre, déclara-t-il avec prudence pour éviter de blesser. Je sais bien qu'il n'y a qu'un jour ou deux que vous vous en occupez, mais tout ça est fort léger. »

Elle acquiesça avec tristesse.

« Je sais. Mais Bovolo me met tellement de bâtons dans les roues que c'est un vrai miracle que j'aie déjà réussi à faire tout ça. Je vais encore passer la journée à les interroger. J'ai également pensé que Jonathan pourrait parcourir tous les documents, les minutes du comité, etc., que m'a fournis Bovolo. Les carabiniers n'ont rien remarqué de significatif, mais on ne sait jamais. Ou plutôt, je croyais que c'était une bonne idée jusqu'à ce que vous débarquiez et que...

— Et qu'il suggère que je pouvais être moi-même impliqué, ajouta Argyll. Une situation délicate... Peut-être devrais-je tirer ma révérence et rentrer à Rome. Autrement je risque d'être accusé de meurtre par-dessus

127

le marché. Au surplus, je n'ai aucune envie de causer des ennuis au service. Ça ne ferait pas bon effet que vous utilisiez officieusement un suspect comme assistant.

— Grands dieux ! jeune homme, pas du tout ! Je suis certain que ce n'est pas nécessaire. Je suis persuadé que votre alibi pour les deux crimes est ravissant. Et, si vous n'êtes pas impliqué dans ces deux affaires, il n'y a aucune raison de penser que vous ayez quoi que ce soit à voir avec le vol, affirma le général, sans réussir vraiment à rassurer le jeune Anglais.

» De toute façon, ce vol relève de mon autorité, pas de celle des carabiniers. C'est pourquoi je peux vous autoriser à faire ce que suggère Flavia. Tant que je suis en charge – ce qui ne durera peut-être pas longtemps, au train où vont les choses.

— Toujours le budget ?

— Je le crains. Ça coince. Ça n'a pas encore tout à fait atteint le stade où les collègues me demandent comment je vais occuper ma retraite, mais on n'en est pas loin... Bon ! reprit-il en repliant sa serviette avec soin, pour l'instant on ne peut rien faire. Monsieur Argyll, passez la matinée à lire. Flavia, il faudra que vous prolongiez votre séjour pour poursuivre vos entretiens, et moi je vais filer voir ce que je peux faire avec votre ami, le commissaire Bovolo. Au fait, quel genre d'homme est-ce ?

— Pas le vôtre, en tout cas. Froid, peu accueillant et bête comme ses pieds. Ça ne marchera pas entre vous, surtout si vous menacez de compliquer un dossier dont il veut faire un paquet-cadeau pour l'offrir le plus vite possible au magistrat instructeur. De plus, il se lèche déjà les babines à la pensée que le service est sur le point de couler, bien que je ne voie pas en quoi ça le concerne. À tout à l'heure ! »

Elle se leva, vérifia le contenu de son sac, et s'éloigna d'un pas alerte.

Tandis que Bottando et Flavia s'occupaient des vivants ainsi que des morts de fraîche date, Argyll passa la matinée plongé dans l'étude de personnes ayant rendu l'âme depuis longtemps. En d'autres termes, il se rendit à la bibliothèque Marciana, ce charmant temple du savoir tout en longueur qui occupe une bonne partie du côté sud de la place Saint-Marc. Il était assez fier de la simplicité de son plan.

Pour commencer, durant quelques heures il allait oublier les achats de tableaux, le besoin de gagner sa vie et autres sujets déprimants. Il avait envisagé de se précipiter chez la marquise pour s'assurer de pouvoir acquérir au moins les quelques peintures qui restaient. Mais, considérant qu'il valait mieux laisser d'abord au général le soin de convaincre tout un chacun de son innocence, il décida d'attendre que le calme fût revenu.

Ayant été chargé d'étudier les documents de travail du comité, il les parcourut rapidement sans rien remarquer de significatif. Il s'agissait surtout de listes de tableaux examinés, de comptes rendus et de procès-verbaux de votes. Il griffonna quelques notes pour montrer sa conscience professionnelle, avant de passer à des questions plus intéressantes.

Il avait projeté d'utiliser son charme et son pouvoir de persuasion pour convaincre la bibliothécaire de lui communiquer les fiches qu'avait sans doute utilisées Louise Masterson pour demander des livres. La tâche fut beaucoup plus aisée que prévu. Il venait à peine de se lancer dans ses explications que la dame d'aspect plutôt revêche en charge du guichet se baissa afin de fouiller dans une boîte qui se trouvait par terre, et elle en tira une grande enveloppe.

Si l'Américaine était morte, s'enquit-elle d'un ton pointu, qui allait payer ça ? « Ça » se révéla être une liasse de photocopies que Louise Masterson avait commandées le soir de sa mort. À l'entendre, on avait nettement l'impression que c'était le comble de l'impolitesse de se laisser assassiner avant d'avoir payé ses factures.

Cependant, la proposition d'Argyll de la libérer du paquet la soulagea grandement. Après s'être rendu à la caisse et avoir déboursé ce qui lui parut être une somme énorme, il revint au guichet, récupéra les documents, puis s'installa afin d'apprendre à quoi s'intéressait Louise Masterson.

Qu'elle eût mauvais caractère ou non, une chose était sûre, elle ne lambinait pas. En un seul soir, elle paraissait avoir épluché une bonne dizaine de livres. Argyll, qui avait du mal à lire un seul chapitre en bibliothèque sans tomber profondément endormi, en fut fortement impressionné. Une telle ardeur à la tâche lui donnait toujours des complexes. Étouffant un soupir, il prit son courage à deux mains et se prépara au dur labeur de lui emboîter littérairement le pas, quel qu'eût été l'itinéraire suivi.

Lequel, autant qu'il put en juger après la première heure, ne menait pas très loin. Elle paraissait avoir déjà mis en œuvre son projet d'oublier le comité et de se concentrer sur Giorgione. Il y avait les *Vies des peintres* de Vasari et celles de Ridolfi, deux ouvrages dans d'assez belles éditions du XVIIᵉ siècle. Reliures de cuir, jolies ciselures dorées sur le dos, ce style de travail. En ce qui concernait Giorgione, le seul fait sur lequel se rejoignaient les deux biographes, c'est que sa maîtresse s'appelait Violante di Modena. En accord avec la moralité de la Renaissance, ils se plaisaient à noter qu'elle avait succombé peu de temps après l'avoir quitté, bien qu'ils se fussent opposés sur la question de savoir dans quels bras elle se trouvait à l'époque. Quoi qu'il en ait été, les deux auteurs considéraient que c'était bien fait pour elle puisqu'elle avait trompé un génie, tout en regrettant amèrement que Giorgione eût jugé bon de mourir de chagrin en conséquence.

Suivait une brève biographie de Pietro Luzzi, l'élève de Giorgione conjecturé comme le candidat le plus sérieux au poste de fougueux amant ayant séduit et enlevé Violante. Les preuves à l'appui de cette thèse se révélaient un peu minces. À part sa mort sur un champ de bataille en 1511, l'auteur ne semblait rien savoir à son sujet. Ça ne paraissait pas d'ailleurs le gêner et il suggérait assez fortement qu'il valait mieux jeter aux oubliettes de l'histoire les peintres au talent limité et à la réputation douteuse du genre de Luzzi.

Les références à Titien étaient secondaires et ne prouvaient nullement, hélas ! qu'il avait peint le portrait de la marquise ou qu'il avait eu le moindre rapport avec cette œuvre. Il y avait des extraits d'anciens récits de ses voyages à Padoue, effectués pour peindre quelques scènes de la vie du saint patron de la ville. Un volume d'archives de la cité de Venise contenait une pétition d'Alfonso di Modena – encore ce nom de famille ! pensa Argyll – sollicitant l'autorisation de faire revenir le peintre, en considération des grands services rendus par celui-ci. Une note en bas de page précisait que les autorités n'aimaient pas que les artisans quittent la ville sans autorisation, comme l'avait manifestement fait Titien en filant à Padoue. Le travail de lecture s'acheva par la description de ces trois tableaux exécutés à Padoue.

Tout ça était très édifiant, sans aucun doute, mais on ne pouvait guère dire que c'était bourré de petits faits significatifs conduisant inévitablement à la porte de l'assassin.

Argyll commençait à se sentir frustré par toutes ces inepties. En homme pragmatique, il réinséra les photocopies dans l'enveloppe, rapporta les livres, puis prit le chemin du café abordable le plus proche – il était trop expérimenté pour se faire arnaquer dans l'un des cafés de la place Saint-Marc qui pratiquent des prix exorbitants – et y commanda un verre.

Flavia avait pris rendez-vous la veille avec Kollmar ; elle devait le rencontrer dans la maison qu'il louait sur la

Giudecca, la longue île peu cotée qui s'étend au sud de Venise proprement dite. Sur le bateau elle lut la fiche de police afin de se familiariser avec ce qui l'attendait. Rien d'impressionnant dans cette série de données. Poste à Baden-Baden, spécialiste de la peinture italienne du XVIᵉ siècle, marié, six enfants âgés de un à quatorze ans. Six enfants ? Cela semblait un peu excessif. Quarante-trois ans, membre fondateur du comité, bonne réputation dans son domaine de recherche.

Le bateau accostait à Sant' Eufemia. Heureusement pour son sens de l'orientation déjà malmené et humilié, la maison de l'Allemand se trouvait tout près du quai : quelques pas le long du rio di Sant' Eufemia et l'on atteignait une maisonnette sans soleil, délabrée et mal entretenue.

Encore essoufflée elle sonna à la porte. Une femme séduisante mais épuisée – à l'évidence Mme Kollmar – lui ouvrit et la fit entrer dans un petit salon. Il était clair que Kollmar ne roulait pas sur l'or. La maison était manifestement bien trop petite pour une famille aussi nombreuse, se dit-elle en enlevant un ours en peluche du sofa avant de s'y asseoir. Mais le loyer ne devait pas être trop élevé : le mobilier était de mauvaise qualité et la peinture des murs s'écaillait. Même un petit bataillon de jeunes Kollmar ne réussissait pas à égayer une atmosphère plutôt déprimante.

D'une autre pièce de la maison parvenaient les cris perçants d'un nourrisson hurlant à fendre l'âme. On distinguait aussi la voix basse d'un homme essayant de le faire taire et de le rassurer, en allemand, mais la langue

133

utilisée pour calmer un bébé qui pleure est universellement compréhensible : tout allait bien et il fallait que l'enfant soit une gentille petite fille bien sage.

Flavia restait assise sur le sofa, une poupée sur les genoux et un air patient sur le visage. Peu à peu les hurlements s'apaisèrent, puis s'arrêtèrent d'un seul coup ; le père exprima son soulagement par des gargouillements rauques et des murmures de félicitation. Quelques secondes plus tard, le parent soulagé apparut dans l'embrasure de la porte. Kollmar était à l'évidence le genre de père bien-pensant qui essaie de participer aux tâches ménagères mais qui trouve l'expérience éprouvante. Il n'avait pas du tout l'air heureux : gestes nerveux, ton abrupt, bien qu'on ne pût décider de prime abord si cela était dû à la présence de Flavia ou au stress résultant de sa lutte avec le biberon.

À n'en pas douter, pensa-t-elle, les membres du comité étaient mal assortis. Roberts, l'amateur cultivé ; Louise Masterson, la professionnelle austère... Et maintenant cette apparition couverte d'éclaboussures, perdue au milieu des couches et au bord de la crise de nerfs. À en juger seulement par l'apparence et le caractère, il n'était pas surprenant qu'ils ne s'entendent pas.

Ils parlèrent en italien. La diction de Kollmar donnait l'impression qu'il sortait d'un vieux film de guerre, mais son langage était d'une précision redoutable. Son principal défaut était qu'il parlait beaucoup trop bien pour pouvoir jamais passer pour un Italien. Si l'on peut apprendre l'allemand, on peut tout apprendre, mais cet exploit semble avoir pour corollaire une tendance à éblouir les autres par des feux d'artifice linguistiques. Flavia esquiva mentalement un tir d'imparfaits du subjonctif qui fendaient l'air chaque fois que Kollmar ouvrait la bouche.

« Je suis certain que vous m'excuserez si nous réduisons cet entretien au strict minimum, déclara-t-il au grand étonnement de Flavia. J'ai énormément de travail et ces derniers jours je pense avoir déjà passé bien trop de temps à parler à la police.

— J'aurais cru que la mort soudaine de deux de vos collègues méritait un peu de votre temps », répliqua-t-elle sèchement.

Ça lui apprendra ! pensa-t-elle.

En tout cas, l'air consterné de Kollmar était convaincant. Il se tut, la fixa comme si elle avait un petit grain, fronça les sourcils et s'agita sur son siège à la manière de celui qui sent qu'il se passe quelque chose de louche.

« Deux ? fit-il enfin, en ne relevant que le fait important. De quoi parlez-vous ?

— On ne vous a rien dit ? »

La stupéfaction de Kollmar était impressionnante et la façon dont son visage se convulsa d'horreur quand Flavia lui apprit la mort de Roberts le fut encore plus. Elle en rajouta dans le sordide. Non par dureté de cœur, même si l'homme ne lui était guère sympathique, mais parce qu'elle pensait que les gens choisissent leurs mots avec moins de soin quand ils sont en état de choc. Rien qu'à en juger par sa réaction horrifiée, elle fut encline à abaisser le taux de probabilité de l'implication de Kollmar dans le décès de l'Anglais. Elle nota qu'il ne paraissait pas aussi bouleversé par la mort de Louise Masterson.

« Mort ? demanda-t-il, un peu bêtement. Je n'en crois rien. Mais pourquoi ne me l'a-t-on pas dit ? Grands dieux ! je suis maintenant le doyen du comité. J'ai quand même le droit d'être informé de ce genre de chose, non ? »

Flavia eut du mal à maîtriser son étonnement en entendant une si étrange déclaration. Arguer de ses prérogatives dans de telles circonstances lui parut une preuve de mesquinerie, sinon d'une totale absence de sensibilité. Elle imagina qu'on ne l'avait sans doute pas mis au courant parce que la police, agissant avec son manque d'efficacité habituelle, n'avait pas encore trouvé le temps de le faire. D'autre part, se rappelant le surnom que lui avait donné Bralle, elle se dit que Kollmar était exactement le genre de personne qu'on oublierait d'informer. Mais il valait mieux passer la remarque sous silence.

« Vous avez porté des documents chez le Pr Roberts, hier soir, dit-elle. Quelle heure était-il ?

— Environ huit heures. Avant de rentrer chez moi pour dîner. Il était absent, alors je les ai glissés sous la porte avec un mot. Pourquoi ?

— C'est à peu près l'heure où il a été tué.

— Oh ! mon Dieu ! s'exclama-t-il, se rendant compte que les implications étaient peu agréables. Et vous pensez que... ?

— Pas nécessairement. Mais vous êtes la seule

personne qui, à ma connaissance, se trouvait dans les parages à cette heure-là. Vous étiez seul ? »

Il hocha la tête, la mine de plus en plus défaite, comme quelqu'un qui, venant de se réveiller d'un cauchemar, s'aperçoit que celui-ci est en train de se réaliser.

« Mais c'est grotesque, reprit-il après avoir secoué plusieurs fois la tête d'un air incrédule. Je ne vois pas comment cette tragédie pourrait être un meurtre. Je ne peux pas accepter l'idée que quelqu'un ait pu vouloir tuer Roberts. Il n'avait pas un seul ennemi au monde.

Un homme si dynamique, si fécond, si original ! »

Flavia eut un petit reniflement ironique.

« Et Louise Masterson ? demanda-t-elle.

— Tout à fait diff..., fit-il avant de s'arrêter net.

— Différent ? Vous voulez dire qu'elle avait des ennemis ? Vous-même peut-être ?

— Ça aussi c'est grotesque ! rétorqua-t-il d'un air pincé, soudain un peu sur la défensive. Nous avions nos désaccords professionnels. Rien de plus. Je ne peux pas dire que je l'adorais. En fait, je la trouvais très difficile. Mais si on se mettait à assassiner tous les collègues difficiles, ce serait une hécatombe. »

Bien vu ! Flavia elle-même aurait pu proposer plusieurs centaines de bons candidats au titre.

« Bon, d'accord ! Et si vous me disiez pourquoi elle était difficile ? »

Il considéra la question avec soin.

« Comment dire ?... Comme vous le savez sans doute, l'étude de l'art est une discipline très particulière. Dans une entreprise comme notre comité, il faut une identité

137

de vues et un accord parfait entre tous les membres si l'on veut faire du bon travail. Il faut qu'il y ait des affinités et une approche commune, si vous voyez ce que je veux dire. »

Il fit un sourire suggérant qu'il n'espérait pas qu'elle pût saisir de telles nuances. Flavia s'appuya contre le dossier du sofa et croisa les bras pour essayer de refouler son agacement.

« Cette foi en la nécessité de l'esprit d'équipe exista pendant un bon bout de temps. J'ai le sentiment, hélas ! que depuis peu les réunions se sont plus distinguées par la discorde que par l'harmonie, laquelle eût davantage été de mise et plus propice à l'efficacité. »

Il se tut, refusant d'entrer plus avant dans des détails inconvenants. Flavia décida que le moment était venu de l'aider à franchir le pas.

« Vous voulez dire que l'arrivée du Pr Masterson a troublé le confort de votre petite confrérie et qu'elle faisait des vagues ? »

Cette remarque passa mal. Kollmar prit encore plus l'air d'un saint offensé. Si dans la discussion Louise Masterson avait utilisé un style ne serait-ce qu'à moitié moins direct, il n'y avait aucune chance que ces deux-là aient pu collaborer.

« C'était l'un des éléments. Mais il y avait aussi la pression qu'exerçait constamment M. Lorenzo pour que nous accélérassions le rythme de notre travail. Il est docteur en histoire de l'art et doué de grandes qualités, mais je crains qu'il ne soit prêt à accepter des méthodes excessivement hâtives afin d'impressionner ses mécènes romains.

— Parlez-moi encore de Louise Masterson...

— Loin de moi l'idée de la critiquer, surtout vu les circonstances, mais c'était sans conteste une femme énergique dans un domaine qui exige avant tout – comment dire ? – de la réflexion, de la patience, et le désir d'apprendre.

— Vous voulez dire qu'elle n'était pas d'accord avec vous ?

— Je veux dire qu'elle n'était d'accord avec personne. J'ai cru comprendre, par exemple, qu'elle était en train d'écrire pour le Pr Miller une lettre de recommandation extrêmement défavorable, bien qu'elle sût que ça risquait de lui faire perdre son poste. Je trouve cette sorte d'attitude tout à fait impardonnable.

— Qu'est-ce qui vous a fait penser que c'était le cas ? »

Il parut de nouveau sur la défensive.

« Euh... je ne m'en souviens pas. Je crois que c'est Roberts qui me l'a dit. Ça ne le tracassait pas, car il pensait que sa propre recommandation contrebalancerait largement celle de Louise. Mais il était mécontent, ça c'est certain. Et il n'avait pas tort...

» En ce qui me concerne, elle a émis des doutes sur certaines de mes conclusions à propos d'un tableau qui est la propriété d'un collectionneur de Milan. Au début, j'étais disposé à ne rien dire, mais je découvris qu'elle s'était lancée derrière mon dos dans une campagne contre moi.

— Que voulez-vous dire ?

— Le Pr Roberts m'avertit qu'elle disait des choses fort désagréables à mon sujet. Le pauvre homme était visiblement très ennuyé. Je déteste tant ce genre de chose ! À la réunion, en ma présence, tout ce qu'elle affirma c'est qu'elle souhaitait examiner un peu le tableau elle-même. Puis je découvre qu'elle met en doute mon jugement et ma compétence de chercheur et qu'elle déclare qu'il faudra reprendre l'étude de zéro. Je crains qu'elle n'ait eu l'oreille de M. Lorenzo.

— Mais vous ne vous êtes pas querellés ?

— Sûrement pas. J'étais certain d'avoir agi avec la prudence adéquate. L'attribution des tableaux est une affaire grave. Mieux vaut prévenir que guérir. Je n'avais pas d'opinion définitive jusqu'à ce que Roberts lui-même eût conclu qu'il s'agissait probablement d'une croûte. »

Flavia se souvint que ce n'était pas tout à fait ce qu'avait déclaré Roberts, mais elle ne releva pas la contradiction.

« Et à quelles conclusions avait abouti le Pr Masterson ? »

Kollmar plissa les lèvres et secoua la tête.

« Comment le saurais-je ? Je ne peux pas dire qu'on en ait discuté. La seule fois où nous avons évoqué la question, j'ai trouvé son attitude plutôt vexante.

— Pourquoi donc ?

— C'était vendredi après-midi, au moment où nous cherchions à quitter l'île. C'est la dernière fois où je lui ai parlé. J'essayais d'opérer une réconciliation, aussi lui

140

proposai-je qu'on bût un verre. Elle refusa. J'avoue avoir trouvé son attitude fort discourtoise, étant donné que c'est moi qui avais fait les premiers pas. Je n'y étais pas obligé, après tout. Roberts et Miller l'ont entendue. J'ai bien vu qu'ils étaient quelque peu sidérés, eux aussi.

» Mais elle était comme ça, je le crains ! Vous voyez, précisa-t-il avec ardeur, elle voulait toujours gagner. Elle voulait toujours avoir le dernier mot. Elle ne s'intéressait pas vraiment à l'échange des idées ; ce qu'elle voulait c'était damer le pion à tous ceux qui n'étaient pas d'accord avec elle. J'ai toujours trouvé ça insupportable. Surtout chez une femme. »

Une fois de plus, Flavia ne releva pas et se félicita de sa remarquable patience, ce matin-là. Alors tu as subrepticement quitté l'Opéra, tu l'as attirée dans les jardins, puis tu l'as poignardée sept fois, se dit Flavia en élaborant tout un scénario. Mais on ne pouvait guère dire que ça collait vraiment, même si c'eût été la solution idéale de l'énigme.

« Avez-vous votre propre idée pour expliquer ces deux morts ?

— Pour le pauvre Roberts, je peux seulement imaginer qu'il ne s'agit que d'un tragique accident. En ce qui concerne Louise, je crois comprendre qu'on a tenté de la voler, puis qu'on l'a tuée parce qu'elle se débattait. C'était une femme très énergique qui ne se serait jamais laissé faire. Aucun voleur n'aurait pu s'emparer de sa serviette sans avoir à la lui arracher de force. Elle était très combative. Je regrette que cette qualité ait fini par lui coûter la vie.

141

— Et à l'heure où elle a été assassinée, vous étiez à l'Opéra en compagnie de votre femme et du Pr Roberts ?

— En effet. C'était notre première sortie ensemble depuis des mois. Une voisine nous a gardé les enfants ; nous avons quitté la maison vers vingt heures et sommes rentrés bien après minuit.

— Vous y êtes allés en bateau-taxi ?

— Oh oui ! Nous n'avions pas le choix. Nous avons eu de la chance ! À cause de la grève, on a bien failli ne pas y aller. Le retour a également pris des heures. Je crains que ça n'ait un peu gâché cette invitation extrêmement généreuse de la part de Roberts. Certaines personnes s'étant décommandées au dernier moment, il a eu des billets et nous a téléphoné pour nous inviter. C'était très aimable à lui, surtout qu'il n'était pas un grand admirateur de Donizetti. Il nous offrit même le champagne pendant l'entracte. Je le répète, c'était un homme très généreux. »

Un long silence suivit. Flavia n'avait plus rien à demander et possédait déjà assez de sujets de réflexion. Il ne semblait guère utile de poser de nouvelles questions sur Roberts : il n'avait aucun ennemi, personne ne pouvait avoir la moindre raison de tuer un homme si bon, si remarquable, etc. Ses réponses étaient sans surprise. Elle passa donc aux creuses formules d'adieu habituelles : il ne devait pas s'en faire, c'était très éprouvant, mais on ne pouvait échapper à ces entretiens de routine, affirma-t-elle avec son plus beau sourire. Cela ne parut guère le rassurer.

Comme prévu, ils se rencontrèrent tous les trois pour déjeuner dans un restaurant près de Santa Maria Formosa. Ce fut l'un de ces rares et délicieux déjeuners où les mets sont exquis et tous les commensaux à l'unisson. Seul le temps n'y mettait pas du sien, mais, au moins, il leur épargnait la pluie pour le moment.

Étant donné qu'il y avait déjà deux crimes, un vol, une menace de complot contre le service de Bottando, en plus du mécontentement prévisible d'Edward Byrnes, Argyll se dit que cette bonne humeur était un tant soit peu désinvolte, sinon irresponsable. Mais le général était un trop grand professionnel pour que ce genre de choses l'empêchât d'apprécier la bonne chère, et, vu son ancienneté et le fait qu'il réglait l'addition, c'était lui qui donnait le *la*. Sa gaieté était d'autant plus remarquable qu'il avait passé la plus grande partie de la matinée en compagnie de Roberts et de Bovolo, l'un mort et l'autre plutôt terne et pâle.

« Il a été très suffisant, expliqua-t-il en parlant du commissaire. Il s'attend à de chaleureuses félicitations pour avoir bouclé cette affaire en un tour de main. Il en est si sûr qu'il n'a rien trouvé à redire quand je lui ai annoncé que vous alliez prolonger votre séjour pour m'aider dans l'affaire du vol. "Du moment que vous ne fourrez pas votre nez dans ce qui ne vous regarde pas", a-t-il précisé avec, me semble-t-il, son charme naturel.

» Quoi qu'il en soit, il mettra le point final à son rapport ce soir, et tout sera réglé avec le juge d'instruction dès demain : le Sicilien et la propre imprudence de Roberts. Apparemment, ils ont décidé d'avoir du rendement pour faire des économies. Il n'a pas cessé de parler vitesse de débit et taux de résolutions de cas. Propos agrémentés de subtiles mises en garde au sujet des interventions de Rome qui sont cause d'inefficacité. Je suis certain que nous ne pouvions être visés. L'entretien avait lieu dans la morgue en présence d'un magistrat sinistre et hostile. Entre parenthèses, j'ai découvert la raison pour laquelle Bovolo nous en veut tant.

— Et alors ? demanda Flavia avec grande curiosité.

— Parce que c'est lui qui va diriger le service des carabiniers chargé du patrimoine à Venise s'il est décentralisé. C'est très préoccupant pour nous, mais ce serait une bonne nouvelle pour les voleurs d'objets d'art. Je ne me rendais pas compte que les carabiniers en étaient déjà à ce stade dans l'élaboration de leurs projets. Ils doivent être plus sûrs d'eux que je ne le croyais.

» Quoi qu'il en soit, ce cher Bovolo n'aura sa promotion que si nous on est coulés ; c'est pourquoi il va s'y employer de toutes ses forces. C'est aussi la raison pour laquelle il désire si ardemment boucler ce dossier en un temps record.

— Alors pourquoi avez-vous cherché à le voir ?

— Oh ! je n'en sais fichtre rien. J'ai pensé que ce serait une bonne idée : il vaut mieux connaître l'adversaire. Mais je m'en suis félicité. J'ai eu une brève conversation avec le médecin légiste. Son rapport signale une marque sur le cou de Roberts.

— Et quelle en est l'origine ?

— Quelle est-elle, en effet ? Le médecin légiste a marmonné quelque chose à propos de cols trop serrés,

144

mais il paraît tout aussi vraisemblable que c'est quelqu'un qui lui a serré le cou. Je ne suis pas expert en la matière, évidemment, mais le médecin a fini par admettre que ce n'était pas impossible. Il a avoué qu'il avait voulu passer en revue toutes les options dans son rapport, mais le magistrat lui a enjoint d'en choisir une et de s'y tenir. Son contrat arrive à échéance. Alors je lui ai conseillé de ne pas faire de vagues.

— Pourquoi donc ? demanda Flavia, très surprise. On a toutes les raisons de croire que Roberts a été assassiné, probablement par la personne qui a tué Louise Masterson. Un meurtrier va s'en tirer... »

Bottando leva les deux mains pour endiguer le flot d'indignation.

« Votre grande conscience vous honore, ma chère petite, mais on ne peut guère en dire autant de votre cervelle. Réfléchissez ! Si l'enquête criminelle reste ouverte, Bovolo en sera chargé et il s'efforcera de nous en écarter. Et rappelez-vous son palmarès : pour le moment, il vise un Sicilien qui n'existe sans doute pas et est séduit par l'hypothèse que Roberts s'est noyé par accident. Détrompez-le, et il est capable de finir par faire arrêter notre ami Argyll.

» Après tout, ce n'est pas ma faute si l'homme est un imbécile. De cette façon, il est content et on a les mains libres pour agir à notre guise. Comme je soupçonne que si on retrouve les tableaux on aura un assassin en prime, on peut désormais se lancer dans nos recherches sans être gênés. Notre seul souci doit être d'obtenir des résultats avant lundi prochain.

— Pourquoi lundi... ? Ah ! bien sûr. C'est le jour où l'on soumet le budget, n'est-ce pas ? »

Bottando lui fit un sourire complice.

« C'est pour ça que vous êtes venu à Venise ? Pour voir si vous pouviez gagner quelques lauriers afin d'impressionner le ministre ? »

Il prit un petit air contrit.

« Eh bien ! répondit-il avec réticence, je craignais aussi que M. Argyll ne soit injustement soupçonné d'un délit, vous savez. D'autant plus que vous êtes si bons amis. Cette relation pourrait s'avérer assez néfaste si l'affaire tombait entre de mauvaises mains. Cependant, poursuivit-il d'un ton léger, si nous nous occupons également de ce dossier, je n'hésiterai pas à en aviser les autorités compétentes.

— Vous me faites honte.

— Pourquoi donc ? Mettez-vous à ma place ! Nous disposons de peu de temps. Alors racontez-moi comment vous avez passé le vôtre, ma chère petite. »

Il était la seule personne au monde qui pût impunément appeler Flavia « ma chère petite ». La formule était si clairement dénuée de condescendance – et faisait tellement partie de son style – qu'elle se serait inquiétée s'il avait cessé de l'employer. Elle s'essuya la bouche avec sa serviette et commença son récit.

Lorenzo, expliqua-t-elle (après avoir décrit la scène chez Kollmar), ne correspondait pas du tout à l'image qu'elle s'était faite de lui. Il appartenait, de toute évidence, à une vieille famille vénitienne et joignait une grande classe ainsi qu'une excellente éducation à un esprit particulièrement vif. Il l'avait reçue dans son appartement qui donnait sur l'une des parties les plus délabrées du rio Nuovo. Le bâtiment était très fatigué, avec cet air défraîchi dont seuls peuvent s'accommoder ceux qui n'ont rien à prouver. Malgré tout, Lorenzo n'était pas un décadent. Il était âgé d'environ quarante-cinq ans et possédait des manières très suaves.

« Un très bel homme, dois-je préciser, ajouta-t-elle incidemment. Cheveux blonds, yeux noisette au regard profond, traits délicatement ciselés...

— D'accord, d'accord ! » intervint Argyll avec une certaine impatience. Bottando lui fit un sourire bienveil-lant. « Viens-en au fait ! »

Flavia lui adressa un regard de reproche.

« C'est important. J'essayais de vous donner une idée de son allure. Ça ne fait rien, poursuivit-elle en repre-nant le fil de son récit. Il a été très courtois. C'est une sorte d'activiste. Le type d'homme qui adore le pouvoir, vous voyez le genre. Il fait partie de tas de commissions, de comités de lecture, de conseils consultatifs. Courant d'un endroit à l'autre pour régler ceci ou cela. Il a réussi à se faire nommer au comité Tiziano grâce à sa parenté avec la femme du ministre des Arts – il est son petit-cousin au deuxième degré. Il est également le neveu de votre marquise. Il est manifestement très compétent, mais il se considère surtout comme un administrateur. Il laisse l'aspect artistique à tous les autres.

» Je dois avouer que je l'ai trouvé plutôt sympathique, malgré tout. Il est extrêmement passionné, possède un réel sens de l'humour – qualité dont semblent

complètement dénués les autres – et m'a paru être sincèrement bouleversé par toutes ces morts. Même si, en ce
qui concerne Roberts, je pense qu'il était davantage
inquiet des conséquences possibles sur le comité et sur
sa propre carrière. On ne peut guère dire qu'ils
s'adoraient, ces deux-là.

— Sais-tu pourquoi ils ne s'entendaient pas, lui et
Roberts ? interrompit Argyll.

— Essentiellement à cause de ce que les autres ont
déjà suggéré : une bonne vieille lutte pour le pouvoir. Ce
Bralle fonde l'affaire et s'efface dès que Roberts entre-
prend de gérer la subvention de l'État. Bralle n'aimait
pas beaucoup cette idée, mais les autres étaient pour car
ils manquaient tous d'argent. Roberts s'attend à être le
maître des lieux, mais, peu après l'arrivée des fonds, ne
voilà-t-il pas que Lorenzo débarque. Et ils se bouffent le
nez depuis.

— Est-ce qu'il y a une véritable raison derrière ça, je
veux dire, en plus de la lutte pour le pouvoir ?

— Selon Lorenzo – et je n'ai que sa version des faits –,
lui désire deux choses. D'abord, des résultats plus
rapides, parce que autrement ils pourraient se voir
retirer la subvention. Et surtout il veut agir avec
méthode, commencer par les tableaux des musées
italiens avant de s'intéresser aux autres. Il joue un peu le
rôle du patriote. Vous savez, le défenseur du patrimoine
national.

— C'est tout à fait sain, non ? dit Bottando qui aimait
assez se voir sous un jour similaire.

— Certes. Mais jusque-là ça n'avait pas été leur

148

manière de procéder. Auparavant, ça se passait plutôt au petit bonheur : on s'occupait en premier des œuvres aisément accessibles, un peu partout et principalement chez des particuliers. Ce n'est pas une mauvaise méthode, d'ailleurs. Mais c'est là, théoriquement en tout cas, l'objet du litige. Si on étudie des tableaux en Italie, on a besoin de gens qui travaillent en Italie. Ce que ne peuvent faire les autres membres du comité. Alors on va en engager de nouveaux, qui seront des copains de Lorenzo...

— Ah ! je vois. Et son alibi tient la route ? demanda Bottando.

— Fort bien.

— Ah ! dommage !

— Il se trouvait à ce moment-là avec sa maîtresse, ou sa petite amie, appelez-la comme vous voulez. Je lui ai parlé seule à seule, et elle m'a fourni assez de détails croustillants sur tous ses gestes et mouvements pour me convaincre qu'il disait la vérité sur ce sujet précis. »

Argyll, dont le visage s'était sensiblement éclairé en entendant le récit des affaires de cœur de Lorenzo, commença à prendre une part plus active à la conversation.

« Si Louise Masterson était une protégée de Roberts, pourquoi donc était-elle sur le point de planter ses crocs dans Kollmar, un autre fan de Roberts ?

— Peut-être parce qu'elle était passionnée par la recherche et qu'elle voulait seulement découvrir la vérité, commenta Bottando d'un ton neutre suggérant pourtant qu'à son avis c'était l'explication la moins probable.

— C'est possible, acquiesça Flavia, à peine plus convaincue, en dépit de sa volonté d'accorder à la morte le bénéfice du doute. Si c'est le cas, elle acceptait de se faire des ennemis. Roberts était mécontent, ainsi que Kollmar. Miller désapprouvait son attitude et Van Heteren trouvait que c'était stupide de sa part. Et par-dessus le marché, même le vieux Bralle lui avait conseillé de laisser tomber, selon l'une des lettres que Bovolo a trouvées dans ses papiers. »

Elle la sortit de la chemise et la déplia sur la table.

« Elle est en français, dit-elle. Il la remercie de sa lettre et commence par un tas de baratin savant. Mais, en gros, Bralle juge qu'elle a sans doute tort de considérer que Kollmar a commis une erreur à propos du tableau et il lui expliquera pourquoi la prochaine fois qu'ils se rencontreront en Europe.

» En fait, conclut-elle, la seule personne à être contente, c'était Lorenzo qui paraissait avoir choisi Kollmar pour la prochaine éjection par-dessus bord, même s'il a pratiquement avoué qu'il aurait de beaucoup préféré se débarrasser de Roberts. »

Bottando fixa son assiette vide avec regret.

« Ce qu'il vient de faire, manifestement. Ou quelqu'un s'en est chargé pour lui. Séduisant ou non, votre M. Lorenzo semble se diriger vers le haut de la liste des suspects. Il possède désormais deux postes prêts à être pourvus par ses supporters.

— Mais, objecta Argyll, on aurait pu penser qu'il

150

aurait attendu que Louise ait asséné, comme prévu, son coup fatal à Kollmar. Alors il aurait eu trois postes à pourvoir. De plus, c'est une méthode un peu extrême pour gagner des voix, non ? »

Bottando poussa un profond soupir devant les mœurs de ses semblables.

« Ah ! grands dieux ! Je suis toujours stupéfait que l'on puisse dépenser autant d'énergie à se battre pour des broutilles. On se croirait dans la police...

» Bon, reprit-il, un charmant sourire aux lèvres, monsieur Argyll, j'imagine que vous avez fait du bon travail ce matin au lieu de bouder dans votre coin ? »

Pendant qu'Argyll entamait un long compte rendu sur ses activités à la bibliothèque, Bottando eut l'air absent.

« Mais qu'avez-vous trouvé au juste ? demanda-t-il avec quelque impatience au moment où Argyll commençait visiblement à s'empêtrer dans ses explications.

— Eh bien ! d'abord que la charmante Violante avait bien quitté Giorgione, sans doute pour Pietro Luzzi, quoique pas pour très longtemps. Elle a été enterrée la même année. Puis que Titien et Alfonso, le frère de Violante, s'entendaient de toute évidence comme larrons en foire. Ce que je ne sais pas, c'est pourquoi ça passionnait tant Louise Masterson.

— Certes. Certes. Tout à fait fascinant, déclara Bottando sans chaleur lorsque l'explication parvint à son terme. Il ne s'agit pas d'un grand bond en avant, je vois. Parlez-moi donc plutôt du comité. Est-ce que

151

quelqu'un s'intéresse vraiment à ces gens ? Est-ce que ça vaut tout le battage qu'on fait autour ?

— Mais bien sûr ! s'exclama Argyll, quelque peu surpris. C'est un programme de grand prestige. Comme vous le savez, on accepte que la plupart des tableaux soient de Raphaël, de Titien ou de Rembrandt parce que c'est ce que disent les experts. Très peu de tableaux possèdent une assez solide documentation pour qu'on puisse les authentifier sans conteste. Par conséquent, si une bande de quidams dignes de foi donnent leur avis éclairé, on les prend au sérieux. Surtout si l'entreprise possède le tampon officiel d'un gouvernement et de vastes sommes d'argent pour prouver la justesse de leur verdict. Vous savez comment certaines personnes sont facilement impressionnées. C'est pourquoi, tôt ou tard, les musées finissent par réattribuer leurs tableaux. Avec allégresse si une œuvre monte sur l'échelle des valeurs, et avec moult grincements de dents et l'écume aux lèvres si elle la descend. Il me semble qu'en Amérique le terme qui fait florès aujourd'hui c'est "désattribution". »

Bottando fit la grimace. Il était un tantinet puriste en matière de langage, même en ce qui concernait celui des autres.

« Et, naturellement, l'opinion de ces gens crée une énorme différence dans la cote des tableaux s'ils sont mis en vente, conclut Argyll.

— Par conséquent, en apprenant que le tableau dont il était si fier vient d'être désattribué – s'il faut utiliser ce mot –, un propriétaire peut fort bien réagir avec grande colère. Et même, pourquoi pas, avec violence ?

demanda Bottando en saisissant la possibilité d'un mobile simple et clair.

— C'est possible, dit Flavia sans enthousiasme, en regrettant un peu de ne pas y avoir pensé elle-même. On ferait bien d'aller voir le propriétaire du tableau de Kollmar. Bien que, dans ce cas, ce soit, une fois de plus, Kollmar qu'on aurait dû trouver un couteau planté dans le dos. C'est lui qui soutenait que le tableau était un faux.

— On verra bien, déclara Bottando d'un ton destiné à mettre un point final à la discussion. Il est temps de se séparer. Je dois aller rendre visite à la marquise. Après tout, c'est le but de mon voyage ici. »

8

Bien qu'il fût évident qu'elle appartenait à l'une de ces familles qui, depuis l'invasion et la destruction de la république de Venise par Bonaparte, à la fin du XVIIIᵉ siècle, avait maintenu sa position sociale à la force du poignet, la *marchesa* di Mulino vivait toujours dans une assez grande opulence.

Le palais avait beau, à l'instar de sa propriétaire, être vieux et décati, il possédait toujours une immense valeur. La plupart des tableaux de famille avaient été dispersés depuis longtemps, mais l'œil expert de Bottando remarqua que ceux qui restaient étaient d'une remarquable qualité. Dans le vestibule, au milieu de portraits de famille, était accroché un petit Tintoret, et au pied de l'escalier il semblait y avoir deux dessins de Watteau. Voilà qui était intéressant, songea-t-il. En plus des tapisseries, des statuettes et du lourd mobilier véni-tien du XVIᵉ habituels. L'ensemble avait besoin d'être restauré, mais tout était authentique.

La marquise le reçut couchée. Coutume d'un autre

temps peut-être, mais excusable, vu son grand âge et le fait qu'elle ne quittait plus que rarement l'étage où était située sa chambre. Le lit était gigantesque : il aurait largement suffi à une famille entière, alors que la personne qui l'occupait était minuscule et, soutenue par une demi-douzaine d'oreillers brodés, ressemblait à une petite poupée oubliée. Le visage de la vieille femme avait jadis été d'une grande beauté, pas joli ou simplement mignon, mais enchanteur. Même les rides et la fragilité de la vieillesse ne pouvaient cacher la perfection d'antan.

Ses manières étaient celles d'une personne qui a l'habitude d'être obéie et traitée avec déférence. D'un geste elle intima à Bottando l'ordre de s'asseoir sur un siège, aussi petit pour lui que le lit était vaste pour elle, avant de l'inspecter des pieds à la tête. Aucune parole de bienvenue, aucun remerciement pour s'être déplacé. Rien de tout cela. C'était un honneur pour lui de paraître en sa présence, et il n'était pas question qu'il l'oubliât.

Quand elle parla, l'impression de fragilité s'avéra n'être que cela – une impression. Malgré son âge avancé, rien ne laissait croire que son esprit n'était pas parfaitement affûté. Et le temps n'avait pas adouci sa vision du monde.

« Comme ça, vous êtes venu pour retrouver mes petits tableaux, hein ? Et de Rome ? Un vrai général, de surcroît ! Grands dieux, on est réellement bien servi par la police aujourd'hui ! s'exclama-t-elle après que Bottando eut terminé son préambule.

— Nous essayons de faire plaisir, répondit-il avec prudence.

« — Foutaises ! rétorqua-t-elle. Pour quelle autre raison êtes-vous venu ici ? »

Bottando secoua la tête avec indignation, un peu surpris qu'elle pût si bien lire ses pensées.

« Aucune autre raison. Uniquement pour retrouver vos tableaux volés. C'est notre spécialité, vous savez. »

Elle lui lança un regard de biais qui signifiait qu'elle n'était pas dupe mais ferait semblant de le croire.

« Vous perdez votre temps, déclara-t-elle avec force. Si c'est là le seul motif de votre venue, rentrez à Rome !

— Nous sommes extrêmement compétents dans ce genre d'affaire, répliqua pompeusement Bottando. Nous saisissons souvent les tableaux quand ils sont mis en vente.

— Foutaises ! répéta-t-elle du même ton. Rentrez chez vous ! »

Mal à l'aise, le général s'agita, conscient que de larges portions de son anatomie débordaient de chaque côté du siège et se demandant si celui-ci allait résister encore très longtemps. Ayant décidé de ne pas attendre la réponse, il se dirigea vers la fenêtre, les mains nouées derrière le dos.

« Ah ! cessez de vous promener comme ça, mon ami, dit-elle, caustique. Si vous êtes trop gros pour ce siège, venez donc vous asseoir à côté de moi. Ici ! » ajouta-t-elle en donnant des coups fermes sur son lit.

Bottando n'avait pas été depuis près de quarante ans plus ou moins rattaché à l'armée sans apprendre à obéir aux ordres. Il s'exécuta, tout en constatant que cet entretien ne se déroulait pas selon les normes.

« Bravo ! fit-elle en lui tapotant la main et en l'encourageant d'un sourire, comme si elle parlait à un petit garçon qui avait réussi à se moucher pour la première fois. Je suppose que vous êtes obligé de poser des tas de questions idiotes. Allez-y ! Vous avez cinq minutes. Ensuite il me faudra dormir. Je dois être complètement au calme.

— Eh bien ! voilà, commença Bottando, toujours un peu inquiet de ne pas parvenir à en placer une, pourquoi croyez-vous que nous n'allons pas les retrouver ?

— Parce que vous êtes des crétins. Comme tous les policiers, ajouta-t-elle du ton de la confidence, au cas où ce fait aurait échappé à Bottando. Ce n'est pas votre faute, mais c'est ainsi. Seuls les imbéciles peuvent vouloir entrer dans la police. »

C'était une opinion qu'il exprimait souvent lui-même, mais il était désagréable d'être inclus dans le lot. D'autant plus que cette condamnation venait de quelqu'un qu'il était censé aider.

« Mais, reprit-il sans se laisser démonter, qu'est-ce qui vous fait penser que c'est cet Anglais, Argyll, qui les a dérobés ? »

Elle éclata de rire.

« Lui ? Il serait bien incapable de voler un paquet de bonbons dans une confiserie. Dieu du ciel ! il a même eu du mal à essayer de les acheter.

— Mais nous avons reçu une plainte...

— De la part de la signora Pianta, sans nul doute. C'est tout à fait elle... Une imbécile, elle aussi. Elle n'a pas toute sa tête, vous comprenez ? » Elle lui fit un clin d'œil complice et baissa la voix. « Elle voit partout des voleurs, des violeurs et des assassins. Ça vient de ce qu'elle a un poste de télévision dans sa chambre. Moi, je n'ai jamais regardé la télévision. Vous en avez un, vous ? »

Bottando ouvrait la bouche pour avouer qu'en effet il possédait bien un poste, même si, débordé de travail qu'il était, il n'avait que rarement le temps de s'en servir, mais il se retint et fronça les sourcils.

« Étant donné qu'il y a eu dépôt de plainte pour vol, nous devons faire les vérifications d'usage, vous comprenez.

— Elle n'aurait jamais dû porter plainte.

— Pourquoi pas ?

— Le scandale. Je ne le supporte pas. Je ne le tolérerai pas. Je refuse de voir mon nom dans les journaux.

— Être volé n'est pas du tout scandaleux. Par les temps qui courent, ça arrive aux meilleurs d'entre nous. »

Elle émit un petit grognement de mépris. Elle pensait à l'évidence qu'être volé était un passe-temps très bourgeois.

« Qui est cette dame Pianta ? » demanda-t-il.

Argyll la lui avait décrite, mais il pensait que le jeune Anglais n'était guère objectif. Personne ne pouvait être aussi affreux.

« Ma secrétaire, ou dame de compagnie, appelez-la comme bon vous semble. Un parasite, en fait. Une parente éloignée, du genre sans le sou. C'est une horrible créature, mais utile pour les tâches quotidiennes. J'y suis habituée et je suis trop vieille pour modifier mon entourage. En outre, elle agace mon importun de neveu encore plus qu'elle ne m'agace, moi. »

Bottando poussa un profond soupir.

« Avec votre permission, je vais constater comment les tableaux ont été emportés après le vol. Au cas où. Si j'en crois M. Argyll, quelqu'un d'autre cherchait à les acheter. »

À nouveau, elle prit un air méprisant.

« Sornettes que tout cela ! s'écria-t-elle avec véhémence. C'est tout à fait absurde. Probablement encore une des petites ruses de Pianta pour soutirer davantage d'argent. Personne n'a cherché à en acquérir un seul depuis des décennies. Quelqu'un a bien écrit pour exprimer son désir d'en examiner un en particulier, mais il n'y avait aucune raison de penser qu'elle avait l'intention de l'acheter.

— "Elle" ?

— Ah ! grands dieux ! vous insistez..., dit-elle d'une voix lasse. Très bien, d'accord. Apportez-moi ce coffret, là. »

Elle fit un geste en direction d'une sorte de boîte à couture posée sur le bureau dans un coin de la chambre. Bottando se leva du lit avec soulagement pour aller la chercher. Elle en extirpa une enveloppe et la lui tendit.

Bottando fut content de voir qu'il avait deviné juste. C'était une lettre de Louise Masterson, portant le cachet de New York, dans laquelle elle sollicitait la permission de photographier un portrait anonyme, propriété de la marquise, et qu'elle avait remarqué au cours d'une

160

soirée donnée par M. Lorenzo, l'année précédente. Ayant trouvé le tableau extrêmement intéressant, elle aurait aimé l'examiner tout à loisir. C'était en rapport avec un livre qu'elle projetait d'écrire.

« Et vous lui avez répondu, dit Bottando.

— J'ai dit à Pianta de faire un mot, mais je ne sais pas si elle a ou non fini par l'écrire. C'est une idiote. Elle n'est pas très efficace, vous savez, même si elle passe son temps à se plaindre des autres. »

Bottando demanda l'autorisation de garder la lettre avant de l'informer qu'il était probable que cette personne ne vînt pas au rendez-vous. La nouvelle ne parut pas la troubler.

L'entretien avec Maddelena Pianta fut moins déroutant mais également bien moins agréable. Si la marquise était peut-être un peu évaporée, elle faisait cependant preuve de vivacité, d'intelligence et d'humour. Aux dépens de Bottando, sans doute, mais il s'agissait manifestement de quelqu'un qui avait aimé la vie et qui était décidé à profiter au mieux du peu de temps qui lui restait sur terre. La signora Pianta était tout le contraire. Renfrognée, sans esprit, soupçonneuse, elle ne paraissait pas avoir ri aux éclats depuis le début des années cinquante. Et elle ne semblait pas le moins du monde disposée à renouveler l'expérience.

Elle répondit aux remarques de Bottando laconiquement, sans ajouter de commentaires : oui, non. Il fallut lui tirer les vers du nez pour en apprendre davantage. Elle avait accusé Argyll, expliqua-t-elle, parce qu'il était de toute évidence coupable. C'était un étranger, il voulait les tableaux et contestait le prix demandé.

Argyll lui avait manifestement tapé dans l'œil… Et avait-elle répondu à la lettre de Mme Masterson ?

La question la prit de court et l'embarrassa. Elle finit par répondre avec une gêne visible, quoique incompréhensible, qu'elle avait en effet répondu que Mme Masterson serait la bienvenue si le tableau n'avait pas déjà été vendu lorsqu'elle reviendrait à Venise. Elle avait téléphoné à la fondation le vendredi matin afin d'organiser un rendez-vous, et laissé auprès d'un employé – elle ne connaissait pas son nom mais il semblait italien – un message invitant Mme Masterson pour neuf heures le soir même. Elle proposait qu'elles se rencontrent au *Zecco*, en face des Giardinetti Reali et à quelques minutes à pied du palais. Et ce parce que Maddelena Pianta allait au cinéma et qu'elle ne souhaitait pas que Mme Masterson arrive au palais avant son retour. Celle-ci n'était pas venue au rendez-vous.

« Je suppose que vous vous rendez compte que, au moment où vous buviez votre café en l'attendant, elle se faisait assassiner à une centaine de mètres de là ? Vous n'avez pas songé à le signaler ? »

En effet, reconnut-elle, en simulant l'agacement pour cacher son embarras. Mais elle ne voyait pas le rapport. En outre, la marquise aurait été furieuse qu'elle fût impliquée dans un scandale. Non, elle n'avait vu personne agir de manière suspecte.

Bottando secoua la tête. Vraiment, quelle idiote ! Maintenant, en tout cas, on savait pourquoi Louise

Masterson se trouvait à cet endroit-là. Cependant, il devait admettre que malheureusement cela ne les aidait pas à identifier l'assassin. Il abandonna donc la partie, mais lui indiqua qu'elle serait obligée de faire une déposition officielle. Pour tenter de calmer son inquiétude manifeste, il l'assura qu'il n'y avait aucune raison que ses déclarations paraissent dans les journaux.

Rassérénée, elle coopéra un peu plus. Il obtint qu'elle lui montre les endroits où les tableaux avaient été accrochés, et par où, d'après elle, on les avait emportés.

Par le « porche d'eau », c'est-à-dire ce qui avait été jadis l'entrée officielle sur le Grand Canal, là où les gondoles accostaient pour laisser débarquer les passagers en grande pompe. Aujourd'hui cette entrée d'honneur était rarement utilisée, pour ne pas dire jamais. Le système des gondoles privées n'est plus ce qu'il était.

Bottando examina le portail d'un œil professionnel. Très ancien, datant du XVIIIᵉ, conclut-il, et dont le bois avait été constamment exposé à l'humidité et à la chaleur. Encore très solide mais fermé par une énorme serrure, très impressionnante, qui pouvait retenir le cambrioleur moyen durant une trentaine de secondes. C'était toujours la même chose : à quoi sert d'avoir de gros barreaux de fer à toutes les fenêtres si on laisse la porte ouverte ?

Pendant qu'il réfléchissait, la signora Pianta lui expliqua sans ambages qu'Argyll et ses complices – elle le considérait toujours à l'évidence comme une sorte de nouveau Raffles, ce qui pour Bottando était l'une des

163

comparaisons les plus saugrenues qu'il lui eût jamais été donné d'entendre – avaient dû s'introduire en pleine nuit, entasser les tableaux dans une embarcation, avant de filer pour les cacher quelque part. On n'avait perçu aucun bruit, la plupart des chambres se trouvant au troisième étage et la marquise ayant accoutumé de prendre un somnifère le soir. Le flot de ses propos était ponctué par les grognements que poussait Bottando. Il ouvrit la porte et passa sur le débarcadère.

De là, en dépit du ciel nuageux, on jouissait d'une vue extraordinaire sur tout le canal. Au premier plan, l'église de la Salute, véritable pièce montée, se dressait devant lui, et, plus loin sur la lagune, on apercevait San Giorgio Maggiore. Des bateaux de toutes sortes sillonnaient le Grand Canal, créant des vagues qui se brisaient contre l'embarcadère de bois en un léger clapotis. Quelques parasols multicolores restaient bravement ouverts aux terrasses des cafés, comme si l'été n'était pas encore terminé. Soufflant de la mer, vif et glacial, le vent charriait cette odeur particulièrement piquante qui ne donne aucune idée de l'horrible pollution qui en fait règne dans la ville.

C'est un quartier assez animé, remarqua Bottando en se forçant à se concentrer sur son travail. Pouvait-on vraiment y embarquer plusieurs tableaux et filer à toute vapeur sans que personne s'en aperçoive ? Malgré les enquêtes des subordonnés de Bovolo, on n'avait toujours pas trouvé de témoins. C'était d'ailleurs stupéfiant à quel point les témoins étaient rares dans tous les aspects du dossier.

« Quand cette entrée a-t-elle été utilisée pour la dernière fois ? demanda-t-il en tapotant du pied les planches délabrées. Officiellement, je veux dire.

— Il y a environ un an. Par M. Lorenzo, le neveu de Mme la marquise. Il a donné une réception en l'honneur de son nouveau comité, au début d'une session, et a organisé l'arrivée en bateau de tous les invités. C'était au cours d'une de ces brèves périodes où lui et Mme la marquise se parlent. Cela survient environ une fois par an, puis ils se brouillent de nouveau à propos de l'héritage. »

Le général hocha la tête d'un air absent et étudia avec soin les vieux et énormes pilots de bois enfoncés profondément dans la vase du canal afin de soutenir la structure. Tout était normal. Il plissa les lèvres, songeur, puis se mit à examiner les planches de plus près. Fronçant le sourcil pour paraître soucieux, il rentra dans le palais d'un pas alerte. Il reviendrait plus tard, déclara-t-il en serrant la main de la dame pour prendre congé.

« Par conséquent, conclut-il, un peu plus tard ce soir-là, nous savons désormais pourquoi Louise Masterson se baladait dans ce quartier avant d'être assassinée. Et nous possédons enfin un lien solide entre le comité, les meurtres et ces satanés tableaux. Pour être plus précis, Lorenzo doit en hériter à la mort de la marquise, Louise Masterson devait examiner l'un d'entre eux et quelqu'un d'autre sur l'île le savait. On aurait pu penser, ajouta-t-il en passant, que ce petit rapport aurait été mis au jour par votre bon ami et collègue, le commissaire Bovolo, mais ça n'a pas été le cas, apparemment. Peut-être a-t-il jugé que ça n'avait pas d'importance. Et peut-être a-t-il raison... »

Il avala une petite gorgée, l'air pensif.

« Où en étais-je ? Ah oui !... Ils nient tous avoir pris le message de la Pianta ou avoir parlé à quelqu'un d'autre au téléphone. Je les ai appelés pour vérifier. L'un d'entre eux, au moins, raconte des bobards.

» Bien. Où tout cela nous mène-t-il ? Ça, c'est une autre paire de manches, bien sûr, mais ça constitue quand même une sorte de progrès, à mon avis. »

Il faisait le modeste. En réalité, il était assez fier de lui.

« Et vous me disculpez officiellement du délit de m'être éclipsé dans la nuit avec une cargaison de peintures ? demanda Argyll, soulagé de constater qu'il semblait disparaître rapidement de la liste des suspects.

— Oh ! je pense que c'est possible. Naturellement, il se pourrait qu'on ait à vous arrêter pour faire diversion si on ne trouve pas un meilleur suspect avant la date du budget, mais je suis persuadé que vous comprendrez, répondit Bottando d'un ton grave. D'ailleurs, personne n'a filé en bateau dans la nuit avec les tableaux.

— Je croyais que le portail avait été ouvert, dit Flavia en détaillant le menu avec beaucoup d'attention avant de commander une *zuppa inglese*.

— En effet. Mais cet embarcadère n'a pas été utilisé depuis une année. On ne peut pas charger un bateau sans faire quelques éraflures ou sans laisser quelques marques. Et il n'y avait rien du tout.

« — Alors comment s'y est-on pris ?

— Ah ! ça, c'est une autre histoire… Tout ce que je sais, c'est ce qui ne s'est pas passé, mesdames et messieurs. Quel est votre avis, je vous prie ?

— En quoi consiste la querelle entre la marquise et Lorenzo ? » demanda Argyll.

Bottando agita un doigt dans sa direction.

« Elle ne peut pas le déshériter, si c'est là votre idée. Les biens ont été laissés à Lorenzo par son oncle, tandis que l'épouse de celui-ci en avait l'usufruit à vie. Vie qui a été, à n'en pas douter, plus longue qu'on ne s'y attendait.

— Sait-on si le désir exprimé par Louise Masterson de voir ce tableau aurait pu provoquer son assassinat ?

— Non.

— Ce coup de téléphone de la Pianta à la fondation m'intrigue, dit Flavia, le front plissé, pendant qu'elle soupesait les diverses options. Si le message a été recueilli par l'un de ses collègues, celui-ci aurait su où la trouver ce soir-là. Et devient, par conséquent, le grand favori pour le rôle du coupe-jarret. Combien d'entre eux pourraient être pris pour un Italien ? Ni Van Heteren ni Miller, qui ont tous les deux un accent étranger. Kollmar, quand il est en forme. Roberts, sans aucun doute. Et, bien sûr, Lorenzo, mais la Pianta aurait dû normalement reconnaître sa voix.

— C'est vrai, mais apparemment Lorenzo n'était pas là. Ça ne laisse que Roberts, cependant Van Heteren affirme qu'il était avec lui pendant tout ce temps et soutient qu'il n'a parlé à personne. Et je ne vois pas pourquoi il aurait besoin de mentir là-dessus.

— Sauf s'il les a tués tous les deux.

— D'accord. Tout à fait d'accord. Peut-être devrions-nous passer un certain temps à vérifier son alibi d'un peu plus près.

— C'est ce que j'ai fait, dit Flavia. Indiquez-moi la manière dont il aurait pu s'absenter d'un dîner sans être vu pendant l'heure et demie qu'il faudrait pour traverser Venise, tuer Louise et revenir discrètement, et je me ferai un plaisir de suggérer qu'il est notre homme. »

Ils se turent pendant un instant pour avaler quelques gorgées et méditer sur l'injustice de la vie.

« Pendant qu'on est sur ce sujet, reprit-elle, il est tout à fait possible de quitter la Fenice, de gagner les jardins, de tuer Louise et de revenir à temps. Mais Frau Kollmar soutient que ni Roberts ni son mari n'ont été hors de sa vue plus de quelques minutes. »

Comparés aux scénarios fébrilement imaginés par Flavia et à l'interrogatoire fructueux de la Pianta mené par Bottando, les efforts d'Argyll paraissaient dérisoires. Il fut donc un peu confus quand on lui demanda comment il avait occupé son après-midi.

Comme il l'avait dit à Flavia, sa faiblesse en tant que marchand venait de sa tendance à s'intéresser aux tableaux qu'il cherchait à acheter. Et c'était manifestement la même chose avec les victimes d'assassinat. Il avait appelé son employeur, sir Edward Byrnes, pour lui poser des questions sur Benedetti, le propriétaire du tableau qui avait provoqué la querelle entre Louise et Kollmar.

Il l'avait également mis au courant de ses récentes

déceptions. Byrnes avait concédé que ces choses arrivaient, quoiqu'il n'eût jamais ouï parler jusqu'alors de tableaux volés à la dernière minute. Il avait prié Argyll de rentrer à Rome et de se remettre à gagner de l'argent. Argyll avait promis d'obéir.

« Quant au propriétaire du tableau, Byrnes n'a jamais entendu aucun propos calomnieux à son sujet et l'idée qu'il puisse envoyer des tueurs pour liquider des historiens de l'art lui semble fort peu crédible. Mais il m'a dit qu'il allait humer le vent. À part ça, j'ai décidé que ce serait une bonne idée d'aller à Padoue.

— Ah ! fit Bottando, pris de court. Pourquoi donc ?

— Question d'hagiographie, répondit-il d'un air mystérieux. La vie des saints, ajouta-t-il, au cas où le terme eût été trop difficile pour eux. Flavia dit que Louise est allée à Padoue, jeudi dernier, au lieu d'assister à la séance du comité, et à la bibliothèque elle lisait des descriptions de fresques de Titien qui se trouvent à la Scuola di Sant' Antonio de la ville. J'ai pensé que ce serait peut-être une bonne idée d'aller chercher l'inspiration dans le temple du saint.

— Et que pensez-vous y découvrir ? »

Il secoua la tête.

« Je n'en sais rien, en fait. Ce qu'avait découvert Louise Masterson, j'espère. Elle s'est rendue là-bas, a annoncé qu'elle allait récrire sa communication, et a été prestement expédiée dans l'autre monde. »

Bottando grommela que, si Argyll pensait que le voyage en valait la peine, il devait alors suivre son instinct. Loin de lui l'idée de lui donner des ordres.

À l'évidence, il jugeait que l'entreprise n'offrait guère d'intérêt et doutait de la capacité d'Argyll à le découvrir même s'il y en avait un. Puis il partit d'un pas lourd en direction de son lit, tandis que Flavia proposait au jeune homme une promenade digestive.

Ils se perdirent une fois de plus. Le refus de Venise de se conformer à la configuration normale des villes finissait par les exaspérer. La plupart, après tout, ont un plan assez clair : la cathédrale à un bout, la gare à l'autre, et tout le reste entre les deux, avec des taxis pour vous transporter d'un endroit à l'autre. Venise, hélas ! n'est pas du tout disposée ainsi et Flavia avait beau adorer la ville, celle-ci la contrariait de plus en plus. Elle était allée voir Bovolo et s'était perdue, puis Lorenzo et ç'avait été la même chose, et maintenant qu'elle déambulait sans but précis, voilà que ça recommençait. C'était un reflet un peu trop fidèle à son goût de son enquête actuelle.

Avançant à ses côtés d'un pas nonchalant, Argyll n'avait pas l'air aussi agacé qu'elle. Touriste invétéré, il passait son temps à se tordre le cou pour regarder les bâtiments, essayant parfois de la persuader de se taire afin d'admirer la façade d'une église. Mais elle poursuivait sa marche sans répit, luttant contre l'impression de tourner en rond et de décrire des cercles de plus en plus serrés.

« Tiens ! fit-elle enfin en tendant brusquement le plan chiffonné à son compagnon. J'en ai marre ! Trouve l'endroit où l'on est et ramène-moi au bercail ! »

Il fixa la carte en louchant, releva la tête pour chercher du regard le nom de la ruelle où ils avaient échoué. Puis il retourna le plan, le scruta de nouveau, s'éloigna de quelques pas, se dirigea vers la droite et s'exclama : « Que dis-tu de ça ? »

Elle ne fut pas impressionnée.

« Ce n'est pas ce qu'on cherche, répliqua-t-elle sèchement.

— Je sais, dit-il, en montant sur le pont en dos d'âne qui menait à l'autre rive du petit canal. Mais c'est ici que Roberts a été repêché. C'est pas mal pour un début. On n'est pas très loin. Tu peux sans doute trouver le reste du chemin à partir d'ici. Roberts habitait par là, dit-il en faisant un geste vers la gauche. Et le Grand Canal est de ce côté, ajouta-t-il en désignant sa droite.

» Ce qui signifie que nous – il se tut, réfléchit, puis fit un nouveau geste – devons aller par là », affirma-t-il à tort mais d'un air de triomphe.

Il lui rendit le plan afin qu'elle pût constater par elle-même ses extraordinaires dons de navigateur. Tandis qu'elle admirait son aplomb, tout en mettant en doute ses conclusions, il sortit son paquet de cigarettes.

« Je savais que j'avais oublié quelque chose, murmura-t-il en passant son doigt dans le paquet, dans le vain espoir qu'il pourrait par miracle en demeurer une au fond. Zut ! »

Il froissa le paquet et le jeta négligemment par-dessus le garde-fou du pont.

« Tu manques un peu d'esprit civique », fit observer Flavia.

Il jeta un coup d'œil à l'eau sale. Le paquet blanc froissé flottait à la surface entre une demi-douzaine de

171

bouteilles de plastique vides, ce qui paraissait être les restes d'un rat mort, plusieurs pages de journal, ainsi qu'un assortiment varié d'ordures ménagères. Ils regardèrent l'amas de détritus dériver lentement vers le Grand Canal où il se joindrait sans aucun doute à beaucoup d'autres déchets de toutes sortes, avant de déboucher dans cet immense dépotoir connu sous le nom d'Adriatique.

« C'est vrai, répondit-il. Désolé. »

Ils observèrent encore quelques instants le lent voyage des détritus. Quelque chose clochait... Puis Flavia déclara : « Ça ne va pas dans le bon sens. »

Ils regardèrent plus attentivement le tranquille mouvement vers l'aval de l'ensemble.

« En effet, finit-il par dire. Hier soir, l'eau coulait en s'éloignant du Grand Canal, maintenant elle se dirige vers lui. C'est bizarre, non ?

— Le flux et le reflux, déclara-t-elle avec assurance.

— Plaît-il ?

— Rien. Ça te dirait d'aller faire un tour en bateau ? »

Il ne s'attendait pas à ce genre de proposition. En général, elle n'était guère encline à l'amusement et à la frivolité, en tout cas pas pendant le travail. Mais qui était-il pour la dissuader de se distraire une petite heure ? Le choix du moment était un tantinet bizarre, cependant.

« Maintenant ? À onze heures, par une nuit glaciale d'octobre ? De quoi as-tu envie ? D'une gondole et d'une bouteille de vin ?

— Ne sois pas stupide ! Non, je voulais dire demain.

Je vais tout organiser. On pourra faire ça à ton retour de Padoue. »

Elle se tut et le fixa, avant de s'écrier d'un ton sévère : « Jonathan, fais attention ! »

C'était un avertissement qu'elle lui lançait assez souvent lorsqu'ils étaient ensemble. Il avait l'habitude de ne pas regarder droit devant lui et de buter contre des obstacles, réverbères ou panneaux de signalisation, placés par les autorités locales pour piéger les distraits. C'est ce qui venait de se passer. Ayant aperçu ce qui paraissait être la statue d'un saint particulièrement intéressante, éclairée par les lumières de l'église de San Barnaba, Argyll avait fait deux pas en arrière pour avoir une meilleure perspective. Il raffolait des statues de saints.

La manœuvre avait projeté sa cheville contre un bollard de béton qui indiquait au piéton plus naturellement observateur que le bord du canal était tout proche. Comme il lui tournait le dos, Argyll trébucha, fit deux pas de plus en arrière pour reprendre son équilibre, et tomba dans le vide en poussant un cri d'effroi qui s'interrompit brusquement au moment où sa tête disparut avec un grand plouf sous l'eau noire, glaciale et malodorante.

Flavia courut vers le bord, effrayée à l'idée qu'un autre historien de l'art – même s'il n'était plus en activité – risquait d'être englouti par la lagune de Venise. Son angoisse était vaine. Après force mouvements désordonnés et maints jurons, Argyll se releva bientôt, de l'eau jusqu'aux genoux et une expression gênée sur le peu qu'on pouvait apercevoir de son visage. À part le fait qu'il était couvert de vase épaisse et gluante, trempé jusqu'aux os et assez vexé, il ne semblait pas trop mal en point.

Le spectacle la fit pouffer de rire.

« Dis donc, ça va ?

— Ça n'a jamais été mieux. Comme c'est gentil à toi de t'inquiéter ! Et toi, comment vas-tu ? demanda-t-il avant de glisser et de retomber à nouveau.

— L'eau n'est pas très profonde, remarqua-t-elle.

— Sans blague ?

— Environ un mètre, je dirais. Tu ne risques pas vraiment de te noyer, hein ? »

Il tenta d'essuyer la vase qui le recouvrait et grelotta violemment.

« Non. Sauf en faisant de grands efforts. Mais je risque de mourir de froid. Pourrais-tu enfin te taire et m'aider à m'extirper de là ?

— Ah ! excuse-moi ! »

Elle retroussa une manche et lui tendit la main avec un certain dégoût.

« Ce que je voulais dire, reprit-elle pendant qu'il se hissait sur le quai tandis qu'elle reculait contre le vent, c'est que, si toi tu ne risquais pas de te noyer, Roberts non plus. S'il a glissé par mégarde, en tout cas. En d'autres termes, il lui suffisait de regagner le bord et de grimper sur le quai, non ? »

Elle trouvait fascinante cette constatation et se préparait à tirer d'autres conclusions, mais le regard noir que lui lança Argyll lui fit comprendre qu'il avait d'autres soucis pour le moment. C'est pourquoi, tout en se tenant à une distance respectueuse, elle le raccompagna à son hôtel et commanda pour lui un whisky pendant qu'il transformait la salle de bains en une véritable porcherie.

9

Le lendemain matin, dès huit heures, le général Bottando escaladait l'escalier de l'immeuble des carabiniers et se dirigeait vers le bureau du commissaire Bovolo. Ce n'était pas de gaieté de cœur qu'il lui rendait visite.

Pourtant Bovolo était encore d'une humeur qui pouvait passer pour bonne. Cela ne signifie pas qu'il allait jusqu'à sourire, que ses yeux pétillaient de plaisir, mais simplement que son air semblait un rien moins morose, comme lorsqu'un épais brouillard sur la mer vient d'être effleuré par les rayons d'un pâle soleil d'hiver. De toute évidence, songea Bottando, son triomphe lui tourne la tête. Il se voit déjà dans son nouveau poste. Le général décida de ne pas gâcher l'ambiance en lui faisant part de ses découvertes.

« Asseyez-vous, je vous en prie, dit la voix neutre et monocorde au moment où Bottando pénétra dans la pièce. Je suppose que vous avez besoin de mon aide. »

La police italienne est malheureusement très

compartimentée. Dans un système plus centralisé, Bottando eût été d'un grade bien plus élevé que ce petit morveux provincial et aurait pu le forcer à apporter son entier concours. Un acte de désobéissance de la part du subalterne lui aurait coûté affreusement cher. Mais, du fait que la police est divisée en plusieurs corps, la supériorité du grade ne comptait pas. Bovolo pouvait le jeter à la porte, refuser de coopérer, agir comme bon lui semblait, sans que le général romain puisse rien y faire. Si l'un de ses subordonnés lui avait parlé sur ce ton quelque peu insolent, il eût été vertement remis à sa place. Face au commissaire des carabiniers, Bottando était obligé d'être conciliant, d'opiner du bonnet, surtout à cause de la faiblesse de sa position à Rome.

« En un sens. Il s'agit de ce vol de tableaux. »

Bovolo hocha la tête.

« Je m'y attendais. Je me doutais que vous auriez besoin d'aide. C'est étrange, n'est-ce pas, que nous, les provinciaux, nous parvenions à boucler un dossier en quelques jours, tandis que vous, les spécialistes, vous pataugez complètement pour une simple affaire de vol. Comme je l'ai déjà dit, ça vient de la méconnaissance du milieu local. D'ailleurs, tout ça va bientôt changer, hein ? »

Bottando serra les dents et se consola en songeant à toutes les explications qu'aurait à fournir cet horrible petit bonhomme si ses théories encore à l'état d'ébauche se révélaient exactes. Il sourit.

« Étrange, en effet. Mais l'affaire est loin d'être

simple. Saviez-vous que Louise Masterson s'intéressait à l'un des tableaux volés ?

— Non, répondit Bovolo avec indifférence. Allez-vous me dire qu'il s'agit d'une histoire de fantômes ? »

Pensant que c'était peut-être une plaisanterie, Bottando sourit.

« Pas vraiment. Simple coïncidence. Peu importe... L'essentiel c'est que je suis pratiquement certain que le cambriolage a été loupé. »

Il mentait, mais ça passerait.

« Pourquoi ?

— Parce que les cambrioleurs n'ont emporté que des tableaux sans grande valeur et ont laissé un Tintoret, deux Watteau, et quelques autres.

— Des péquenauds, sans nul doute. Des gens du Sud, assurément.

— Le problème, insista gravement le général, pour revenir au sujet de l'entretien, c'est qu'il est fort probable qu'ils récidiveront dès qu'ils s'apercevront qu'ils se sont trompés de tableaux. Vous n'êtes pas sans savoir que ça arrive souvent. Et si cela se produisait et si la marquise était agressée, ou le moins du monde molestée, ce serait extrêmement ennuyeux. »

Cette hypothèse fit réfléchir le commissaire. Il imaginait déjà toute une série de conséquences fâcheuses, la marquise agressée et Bottando en train de chuchoter à l'oreille de personnages influents : « J'avais bien prévenu ce type de Venise... » Mauvais pour les promotions.

« Que voulez-vous donc ?

— Eh bien, j'ai pensé que vous pourriez poster un policier chez elle. Ce serait parfait. Je suis persuadé que la marquise vous en serait très reconnaissante. »

En réalité, cela produirait l'effet contraire : elle serait furibonde. Ce serait parfait, ça aussi. Mais Bovolo se voyait déjà remercié, invité à dîner, décrit par elle auprès des Vénitiens puissants comme un homme remarquable. Cela montrait à quel point il la connaissait mal...

Cependant, la courtoisie n'était pas le fort de Bovolo, loin s'en fallait.

« Bon ! fit-il à contrecœur, on pourra peut-être trouver quelqu'un à envoyer là-bas.

— Excellent ! Au fait, ma collaboratrice souhaitait vous demander... »

Bovolo lui décocha un regard noir.

« Écoutez-moi ! Ça suffit comme ça ! Je dois vous avouer, mon général, que je commence à en avoir par-dessus la tête des interventions de votre assistante. Cette femme se démène et court partout comme si elle était chargée du dossier...

— Mais c'est vous qui lui avez demandé de s'entretenir avec les membres du comité...

— Soit. Et je lui ai également demandé de s'en tenir à ça. L'affaire est classée, mais ça ne l'empêche pas de continuer à les importuner. Si elle persiste, je vais devoir protester plus officiellement. Faites-la travailler uniquement sur le dossier du vol des tableaux. Laissez les meurtres à ceux qui ont de l'expérience dans ce domaine. »

Bottando leva les deux mains.

« Ne vous en faites pas, monsieur le commissaire ! s'exclama-t-il pour l'amadouer. C'est compris. La signorina di Stefano est à Venise pour m'aider à retrouver des tableaux. Je peux vous assurer qu'elle se concentrera seulement sur cette tâche. »

Bovolo paraissait apaisé, et Bottando avait obtenu tout ce qu'il désirait. C'est pourquoi il remercia chaleureusement le minable commissaire et s'en alla de son pas pesant. Il était fort content de lui. Il n'avait pas perdu la main, après tout.

Tandis que Bottando se félicitait de son adresse à manipuler ses semblables, Jonathan Argyll était tassé dans un coin d'un compartiment de seconde classe du Venise-Padoue. Ce n'était certes pas un express ! Le train grinçait et se traînait dans la campagne plate et dépourvue du moindre attrait qui s'étend à l'ouest de Venise, s'arrêtant fréquemment dans certaines gares pour débarquer des voyageurs, dans d'autres pour en charger de nouveaux, et faisant de temps en temps halte en rase campagne, juste pour reprendre haleine, semblait-il.

Morne et déprimant trajet qui s'accordait assez bien avec son humeur. Il avait cru avoir parfaitement surmonté la profonde déception qu'avaient suscitée en lui les derniers événements. Mais, maintenant qu'il n'avait rien de mieux à faire, il revint par la pensée sur l'enchaînement des circonstances. Et c'était vraiment une triste affaire. Il avait perdu ses tableaux ; Bottando et Flavia craignaient pour leur boulot ; deux personnes avaient été tuées ; et on n'avait pas la moindre idée des tenants et des aboutissants de toute cette histoire.

Par exemple, pourquoi Louise Masterson s'intéressait-elle à son tableau ? Pourquoi s'était-elle précipitée à Padoue quelques jours seulement avant de faire son exposé ? Il se plaisait à penser qu'il y avait un rapport, sans posséder la moindre idée de sa nature. Même s'il était agréable de fantasmer sur des autoportraits de Titien perdus, il savait fort bien qu'il n'y avait aucune chance que le tableau de la marquise en fût un. Après tout, Lorenzo était un proche parent de celle-ci, et, en dépit de son côté frivole, un spécialiste de Titien ; il était impossible qu'il fût passé à côté.

Comment Louise était-elle au courant ? Ça, au moins, c'était assez clair. Elle avait été invitée l'année précédente à la réception donnée par Lorenzo chez sa tante pour inaugurer la première session du comité à laquelle elle participait. Elle avait dû le voir à ce moment-là et s'en souvenir. Mais qu'évoquait donc pour elle ce tableau ?

En tout cas, il n'évoquait rien pour lui, et Argyll était de fort méchante humeur lorsque le train entra lentement dans la gare de Padoue. Lorsqu'il en descendit, dans un froid glacial, il entendit la pluie tambouriner sur la verrière du toit. Cela faisait des jours que les nuages s'amoncelaient et ils avaient délibérément choisi le pire moment pour se décharger. Le froid s'était installé en une nuit. En réalité, comme Argyll s'en était aperçu lors de sa chute dans le canal, il faisait déjà frisquet avant.

Mais l'association de la pluie et de l'air glacial rendait désormais pénible le moindre instant passé dehors, d'autant plus qu'Argyll ne portait pas vraiment les vêtements adéquats. Debout dans le hall de la gare, il restait les yeux rivés au ciel, dans l'espoir de forcer les nuages à se dissiper, la pluie à cesser et le soleil à briller. Aucun des trois vœux ne fut exaucé. Alors il releva son col de veste aussi haut que possible, fourra ses mains dans ses poches, prit un air de malheureuse victime et se mit en marche. Pourvu qu'il n'attrape pas un sale rhume !

C'était une sacrée trotte ! Au diable les urbanistes ! En général, le jeune Anglais était un chaud partisan de la préservation du centre médiéval des villes et du maintien de la modernité à la périphérie. Mais il était disposé à faire une exception pour les gares par temps pluvieux, surtout lorsque, tous les autobus semblant avoir disparu, il était obligé de faire plus de deux kilomètres à pied pour parvenir à destination. Dans ces circonstances, la destruction d'une ou deux églises datant du Moyen Âge paraissait un faible prix à payer pour lui faciliter la tâche.

Après une trentaine de minutes d'un supplice enduré pour la cause de la vérité et de la justice, il se rapprocha du but de son voyage, souhaitant avec ferveur que la vérité et la justice se passent un moment de lui. La Scuola était située à deux pas de la cathédrale. C'était un bâtiment triste, encore enlaidi par les abondantes fientes de pigeons qui donnaient à presque toute la surface des murs une déplaisante couleur blanc cassé et faisaient vaguement ressembler les statues de la façade principale à de petits bonshommes de neige.

Mais au moins c'était ouvert. Trop ouvert, en fait. Le vent s'engouffrait par les vastes portails, et à l'intérieur l'atmosphère était d'ailleurs encore plus glaciale et plus humide que l'affreux climat qui sévissait à l'extérieur. Il pénétra dans le bâtiment sombre et plein de courants d'air, s'arrêta au milieu de la salle, regarda autour de lui, hésitant sur le chemin à suivre. Une flèche indiquant obligeamment un vaste escalier de pierre, il en gravit les marches d'un pas poussif.

Les fresques qui, espérait-il, pourraient lui fournir une sorte d'inspiration se trouvaient au bout de la salle du premier. Serties dans de lourds cadres de bois sombre, elles avaient un criant besoin d'être restaurées, ayant souffert du temps, de l'humidité et de la négligence. La peinture s'était écaillée à plusieurs endroits et la surface des œuvres avait beaucoup noirci.

Ces peintures paraissaient aussi mal en point qu'Argyll et, à dire vrai, elles ne donnaient pas l'impression d'être des chefs-d'œuvre de la Renaissance. Gauches, un peu raides dans la composition. Figées, pour tout dire. Il ne faisait aucun doute, cependant, qu'il s'agissait d'œuvres de Titien. Mais cela prouvait seulement que même les meilleurs peintres ne sont pas toujours au mieux de leur forme. Peut-être le grand homme avait-il la migraine. Ou la grippe. Ou peut-être en avait-il aussi marre qu'Argyll en ce moment. Il imagina le jeune peintre en train de saisir la première occasion de montrer ce dont il était capable. Seul, sans maître ni mentor sur le dos. Malgré tous ses efforts, il n'avait pas pu être satisfait du résultat. En son for intérieur l'artiste devait bien savoir qu'il pouvait mieux faire.

Même le sujet des tableaux était fort étrange et mystérieux pour un peintre comme Titien qui en général préférait une approche très directe. Après tout, ces peintures étaient censées glorifier la vie de saint Antoine de Padoue en représentant les grands miracles qu'il avait accomplis. Mais dans l'une d'elles le saint ne faisait qu'une timide apparition. Et dans les autres, en fait, il n'occupait même pas le centre de l'attention.

Argyll consulta le petit guide qu'il avait apporté. À droite, *Le Miracle du nouveau-né*, où un nourrisson assure à un mari soupçonneux, élégamment vêtu d'un costume rouge et blanc, que sa femme lui est vraiment fidèle. Au centre, *Le Mari jaloux*, où un noble, manifestement le même homme, à en juger par son costume, tue sa femme à coups de poignard dans un jardin, à nouveau parce qu'il la croit infidèle. Il se trompait et, bourrelé de remords, il vient avouer ses péchés au saint qui ressuscite l'épouse. Ça vaut le coup de reconnaître qu'on a fait une gaffe. C'est intéressant d'ailleurs, pensa Argyll : un jaloux qui croit sa femme infidèle, celle-ci poignardée dans un jardin. Tiens, tiens !

« Je vous ai demandé si je pouvais faire quelque chose pour vous », dit un homme qui visiblement se trouvait là depuis quelque temps et essayait d'attirer l'attention d'Argyll.

Celui-ci fit un bond de côté.

« Ah ! s'écria-t-il, vous m'avez fait peur ! » Ce n'était pas la peine qu'il le précise.

Le petit homme – un moine, à l'évidence, mais qui ressemblait davantage à une taupe emmitouflée – le dévisagea d'un air curieux.

« Vous paraissez très intéressé par notre bâtiment, commença-t-il d'un vague ton d'excuse, et je me demandais si vous aviez besoin de renseignements. Je serais tout à fait ravi de vous parler de nos trésors. Ces peintures, comme vous le savez sans doute, sont l'œuvre du grand Titien. »

Argyll réfléchit à la proposition. Par cette température il n'avait surtout pas envie d'une longue visite guidée. Mais il avait besoin de parler à quelqu'un. Il ne pouvait guère pour autant inviter le franciscain à boire un verre au bar du coin.

« Merci beaucoup. C'est fort aimable de votre part, répondit-il. Ce que j'aimerais bien savoir, c'est pourquoi saint Antoine n'apparaît presque pas dans des tableaux dont il est censé être le sujet principal...

— Ah bon ! Un homme difficile à vivre, ce Titien, expliqua le moine, comme si le peintre était une célèbre figure locale qu'on pouvait fréquemment apercevoir en train de dîner dans les restaurants de la ville pendant le week-end. Mais vous connaissez les artistes... Il aurait pu choisir des scènes bien plus connues. Je suis persuadé que cela a déplu, indépendamment des détails plutôt croustillants sur sa maîtresse.

— Que voulez-vous dire ?

— Ce n'est qu'une légende, mais on dit que Titien a mis dans le tableau la jolie Violante di Modena sous les traits de la dame qui se fait poignarder. Apparemment elle était infidèle et il voulait se venger. Les moines ont, bien sûr, trouvé ça irrévérencieux, et je ne puis qu'être d'accord.

— Êtes-vous sûr que ceux qui propagent cette légende ne le confondent pas avec Giorgione ? demanda Argyll d'un ton sceptique. Le thème de l'amour non partagé me semble un peu trop familier. En outre, je croyais qu'elle s'était enfuie avec Pietro Luzzi et non pas avec Titien. »

Le petit vieillard gloussa.

« Ah bon ! C'est possible. Comme celles des saints, on mélange les vies des peintres. Il se peut que vous ayez raison ; de toute façon, je crois que lorsqu'il est arrivé ici la dame était déjà morte. La vérité historique, hélas ! gâche parfois une bonne légende.

— Savez-vous quelque chose sur le troisième tableau ? demanda Argyll en désignant le troisième panneau. Son style semble un peu différent de celui des deux autres. »

Le moine inclina la tête.

« Vous êtes très observateur. Je crois comprendre que le peintre souhaitait faire quelque chose de totalement différent, mais le chapitre n'a pas dû approuver.

— Quoi donc ?

— Je ne sais pas. C'était encore à l'état de projet lorsque les moines ont mis le holà et ont tenu à ce qu'il peigne celui-ci.

— C'est absolument fascinant ! s'exclama Argyll, car son interlocuteur paraissait avoir besoin d'encouragements. J'avais extrêmement envie de voir ces

187

peintures. Je suppose que vous recevez beaucoup de touristes.

— Oui, pas mal, durant l'été. Évidemment, nous n'avons pas autant de succès que la chapelle Scrovegni un peu plus bas. Giotto est une star bien plus grande. Mais nous avons notre part du gâteau. »

Il sourit de sa propre maîtrise du langage familier.

« Bien sûr, ce n'est pas le meilleur moment de l'année, reprit-il. Il fait trop froid et trop sombre pour qu'on puisse bien les voir. La semaine dernière quelqu'un a pratiquement grimpé sur l'autel pour avoir une meilleure vue. Elle utilisait même un flash pour faire des photos. Assurément, nous sommes ravis d'accueillir des visiteurs, mais nous désapprouvons plutôt ce genre de comportement. C'est un manque de respect caractérisé. Et, bien sûr, c'est mauvais pour les tableaux. Ils sont déjà fort mal en point.

— Certaines personnes sont très mal élevées, renchérit Argyll hypocritement.

— Surtout les Américains. Ce ne sont pas de méchantes gens, s'empressa-t-il d'ajouter, pris soudain d'un doute sur l'éventuelle nationalité du jeune homme, mais ils ont tendance, en effet, à se laisser emporter par l'enthousiasme.

— Et la femme de la semaine dernière était américaine ?

— Oui. Elle s'est montrée charmante, une fois redescendue de l'autel. Elle était très savante et parlait couramment l'italien.

— Vous lui avez aussi parlé des tableaux ?

188

— Oh ! c'était inutile. Je pense qu'elle en savait plus que moi. Mais nous avons eu une agréable conversation, avant qu'elle ne soit obligée d'aller faire quelques courses urgentes. Et elle s'est platement excusée d'être montée sur l'autel. Elle a d'ailleurs laissé une jolie donation dans le tronc. »

Argyll remercia chaleureusement le moine de son aide, suivit avec ostentation l'exemple de Louise Masterson (c'était elle, bien sûr) en faisant un don généreux, avant d'entrer dans le restaurant le plus proche. Naturellement, la question qui venait à l'esprit était celle-ci : de quelles courses s'agissait-il ?

Dès le début de l'après-midi, il était de retour à Venise, et, après une certaine hésitation, il décida d'être raisonnable en ne se précipitant pas dans le bar de l'hôtel. C'eût été une action parfaitement compréhensible... Le vent fraîchissait, la pluie redoublait et la température descendait encore plus. Mais les marées étaient sages et, tandis que le vaporetto le transportait d'une allure lente et saccadée en direction de l'Isola di San Giorgio, par les hublots embués du vieux bateau il apercevait les crêtes blanches des vagues à la surface de l'eau habituellement calme.

Même lorsqu'il fut parvenu à destination, il ne jouit pas longtemps du réconfort d'un endroit bien chauffé. Sa visite à la chambre de Louise Masterson ne lui prit que quelques instants. Il réussit à déjouer la vigilance du gardien qui, heureusement, avait à l'évidence dégusté un trop bon repas pour se préoccuper sérieusement de repousser les intrus. Pour pénétrer dans la chambre de Louise il s'était préparé à passer beaucoup de temps à décoller les scellés apposés par la police, mais comme ils étaient déjà tombés, il n'eut qu'à ouvrir la porte, entrer dans la pièce et prendre ce qu'il voulait avant de s'esquiver. Le silence régnait dans le couloir.

Il se retrouva dehors. Une fois de plus, son amour désintéressé de la vérité et le besoin de gagner sa vie s'interposèrent entre lui et un bain chaud. Il regagna l'île principale et se dirigea à grands pas vers l'endroit où Louise Masterson avait livré sa dernière bataille. Ce serait une bonne idée de visiter le lieu du crime, pensa-t-il. Non pas qu'il eût beaucoup de chance de mettre brillamment au jour, grâce à son œil de lynx, un indice négligé par la police.

Non. Il était clair que sa petite balade avait pour origine un mélange de voyeurisme et d'indécision, à parts à peu près égales. L'ennui c'est qu'il ne fut même pas capable de repérer l'endroit où le crime avait été commis. Le dispositif accompagnant l'enquête – cordons, baguettes plantées dans le sol, gardes armés, etc. – avait disparu depuis longtemps ; il ne restait que l'herbe, les arbres et quelques serres. Et, de toute manière, le moindre indice aurait été effacé par la pluie, se dit-il, trop conscient de l'eau qui lui dégoulinait dans la nuque.

Les jardins étaient d'ailleurs tout à fait remarquables, malgré les signes de fatigue visibles d'une fin de saison où ils avaient subi pendant plusieurs mois le constant martèlement des chaussures des touristes. L'endroit était planté d'un nombre considérable d'arbres et arbustes du nord de l'Europe et du Midi, symbole végétal de la ville elle-même qui avait servi durant des siècles de pont entre l'Orient et l'Occident. Argyll inspecta les lieux et félicita le vieux jardinier lorsque celui-ci passa près de lui en traînant les pieds. Rien que pour faire quelque chose.

Le visage du vieil homme s'illumina. Il le remercia mais se plaignit que rares étaient ceux qui appréciaient ses efforts. Argyll affirma que le résultat était absolument magnifique. Le jardinier hocha la tête doctement et, maintenant qu'une sympathie réciproque était née, l'invita à jouir de la chaleur de la serre et à admirer son travail de plus près. Ils pénétrèrent en frissonnant dans le bâtiment chaud et humide ; le vieil homme extirpa une bouteille de grappa d'un sac de fumier. Cela gardait l'alcool au chaud, expliqua-t-il en dévissant la capsule. Argyll avala avec gratitude une petite gorgée du liquide de feu. Il contempla dans un respectueux silence la composition florale multicolore qui commençait à pâlir très sensiblement sous leurs yeux.

« Est-ce que ce n'est pas quelque part par là que cette femme a été tuée ? J'espère qu'elle n'a pas trop abîmé vos plantes. »

En y repensant un peu plus tard, Argyll se dirait que c'était là une remarque bien peu charitable.

Pour le jardinier, l'ordre des priorités d'Argyll était parfait. Il était certes regrettable d'être assassinée, semblait-il penser, mais ce n'était pas une raison pour se montrer sans-gêne. Ce n'est pas parce qu'on est en train de mourir qu'on a le droit de saccager un parterre de fleurs.

Ce ne furent pas ses paroles exactes, mais l'air dégoûté avec lequel il désigna une plate-bande à gauche de la petite serre révélait clairement son état d'esprit. Argyll se rendait-il compte de la difficulté qu'il y avait à cultiver des lis ? Ou du prix que coûtait une seule de ces fleurs ? Le jeune Anglais dut avouer qu'il n'en avait pas la moindre idée, mais, ajouta-t-il, il devinait que c'était le genre d'exploit que seul un vrai spécialiste pouvait accomplir.

« C'est juste, monsieur. Absolument. Vous êtes vous-même jardinier, j'en suis certain. Ah ! tous les Anglais sont jardiniers, alors vous allez comprendre. Venez par ici ! »

Il saisit le coude d'Argyll et le tira le long de l'étroit couloir.

« Regardez ! » fit-il.

C'était un spectacle assez désolant. Il s'agissait d'une plate-bande rectangulaire, trois fois plus longue que large, pleine de lis. L'effet eût certes été assez joli si une large brèche n'avait été ouverte en plein milieu ; la plupart des fleurs étaient écrasées et seules quelques malheureuses plantes demeuraient sur pied.

« Grands dieux ! Grands dieux ! compatit Argyll. Quelle horreur ! »

Le jardinier opina du bonnet avec force.

« Vous avez raison ! Vingt-huit plantes. Et des lis, qui

192

plus est ! La fleur la plus noble... L'emblème des rois de France, vous le saviez ? »

Argyll admit qu'il l'avait entendu dire. Les mains dans les poches, il restait les yeux fixés sur la plate-bande saccagée. Le spectacle le troublait sans qu'il pût déterminer avec certitude pourquoi.

Il prit congé du jardinier en lui souhaitant bonne chance pour ses prochains semis. Pour toute réponse, le vieil homme bougonna que ses fleurs seraient, à n'en pas douter, cueillies par les touristes ou qu'elles succomberaient à la maladie. Enfin, après une seule petite diversion, Argyll regagna sa douillette chambre d'hôtel, où l'eau chaude coulait à flots, où la théière contenait un réconfortant breuvage, et où Flavia avait laissé un petit mot pour requérir sa présence immédiate. Après l'avoir agonie d'injures, il dut à nouveau braver le froid.

10

Emmitouflée dans les vêtements imperméables qu'elle avait apportés de Rome, elle était assise dans une vieille barque près du pont de l'Académie. Il bruinait toujours et il se faisait tard ; c'était l'automne et dans une heure on ne discernerait presque plus rien dans l'obscurité. À ses côtés se trouvait un vieil homme, couleur de noix d'acajou, qui fendait l'air de ses mains tout en parlant à qui mieux mieux. Même de loin, Argyll voyait bien que Flavia se forçait à être polie, comme c'était son habitude avec les personnes âgées, même lorsque celles-ci l'exaspéraient. Comme il s'approchait, il crut distinguer les mots : « Le flux. Voilà ce que c'est, le flux... »

Il les salua depuis le quai avant de descendre dans le petit bateau avec moult précautions. Il n'avait pas du tout envie de tomber à l'eau une seconde fois. Flavia présenta le vieil homme comme le signor Dandolo, un gondolier à la retraite dont elle avait fait la connaissance quelques jours plus tôt.

Argyll lui serra la main.

« Monsieur Dandolo... Vous portez un nom très prestigieux », dit-il.

C'était un beau compliment et qui fut apprécié à sa juste valeur. Dandolo le gratifia d'un radieux sourire.

« C'est exact. Ma famille a donné de nombreux doges à Venise. Nous sommes vénitiens depuis l'origine des temps. »

Il s'agissait assurément d'une petite exagération, mais ça n'avait pas d'importance. Dandolo rayonnait et Flavia était de bonne humeur comme chaque fois qu'elle avait l'impression de faire quelque chose d'utile. Seul Argyll se sentait d'une humeur massacrante.

« Ce n'est pas comme ça que j'imagine une promenade romantique en bateau, grommela-t-il tout en se recroquevillant dans sa veste pour se protéger de l'air frais du soir. Je suis trempé jusqu'aux os et il fait un froid de canard. On ne s'attend pas à ce que je pousse la romance, n'est-ce pas ? »

Flavia ne réagit pas, regardant droit devant elle, le sourcil froncé, afin de voir où ils allaient. Elle agrippa soudain le bord du bateau lorsqu'un vaporetto les dépassa à vive allure, provoquant des remous qui firent fortement tanguer leur frêle esquif.

« Tu n'as pas le mal de mer, au moins ? » demanda-t-il, étonné.

Elle secoua la tête avec vigueur, les lèvres serrées. Son front se plissa davantage.

« J'ai du mal à digérer, murmura-t-elle après quelques instants. J'ai dû trop manger. »

Impossible. Elle souffrait du mal de mer. Incroyable. À vingt mètres du bord du Grand Canal, son teint virait déjà au vert. Argyll secoua la tête et contempla la vue. Il n'y avait pas grand-chose d'autre à faire. Côté conversation, Flavia n'étant pas au meilleur de sa forme, il parla à Dandolo, lequel, sans cesser de ramer, jetait sur Flavia des coups d'œil compatissants. Elle avait conquis un admirateur.

Comme beaucoup de Vénitiens, il tenait à défendre sa ville contre toute insinuation suggérant qu'elle puisse avoir le moindre défaut. Les eaux agitées et le mauvais temps, expliqua-t-il, étaient tout à fait inhabituels pour la saison. C'était la première fois qu'il pleuvait depuis des semaines. Jusqu'alors il n'était pas tombé une seule goutte. Pas une seule. Il suggéra que la pluie était d'ailleurs la faute des urbanistes, tous des Romains et des Milanais, sans exception. Du temps de ses ancêtres les doges, semblait-il sous-entendre, il ne pleuvait jamais.

Après plusieurs minutes de dur labeur, Dandolo fit pivoter brusquement l'embarcation vers la gauche, enfilant à grande vitesse le rio di San Barnaba et passant devant le lieu où l'on avait découvert le corps de Roberts. La houle se calma sensiblement et, lorsqu'ils atteignirent l'endroit où Argyll avait fait son plongeon la veille, si Flavia n'avait pas encore recouvré son hâle éclatant, au moins elle n'avait plus le teint brouillé qui avait tant frappé Argyll sur le Grand Canal. Et elle avait retrouvé sa langue par la même occasion.

« Le flux, dit-elle quand elle fut enfin disposée à répondre à la question d'Argyll sur le but de la promenade. Le courant avait changé de sens. M. Dandolo pense que c'est à cause de l'ouverture de nouveaux chenaux dans la lagune. Le jeune policier, celui que Bovolo a fait taire, s'en était lui aussi rendu compte. Par conséquent, Roberts n'a pas dû tomber près du Grand Canal, mais à environ deux cents mètres dans l'autre sens. Et, comme tu l'as démontré hier soir, il n'aurait pas pu se noyer accidentellement.

— Sauf s'il était inconscient.

— Ou bien si on lui a maintenu la tête sous l'eau. Mais comment s'y prendre dans l'un des quartiers les plus fréquentés de la ville sans que personne s'en aperçoive ? La réponse, c'est qu'à environ deux cents mètres sur le canal est située la maison de Roberts. Là-bas, en fait », dit-elle, en désignant la direction d'une main tout en agrippant le bord de la barque de l'autre.

La maison, à laquelle on accédait par une petite ruelle, faisait un coin juste après un pont. La rue qui longeait le rio di San Barnaba n'existant plus à cet endroit, l'arrière du bâtiment donnait directement sur le canal. Dandolo cessa de ramer, mais la barque continua à glisser en silence.

« Et maintenant, que fait-on ? » demanda Argyll.

Tout ça était fort intéressant, mais il ne voyait pas pourquoi ils n'auraient pas pu en découvrir autant sans quitter l'hôtel.

« Et ça, entre parenthèses, qu'est-ce que c'est ? »

« Ça », c'était une cavité noire au-dessus de l'eau qui disparaissait sous la maison.

« Un canal couvert, répondit Dandolo. Il y en a des

centaines. Ça sert d'égout. On peut aussi y faire passer une barque. On l'utilise pour emménager et déménager. Et pour évacuer les ordures, parfois.

— Vous pouvez nous faire passer dedans ? » demanda Flavia sans grand enthousiasme.

Dandolo fit pivoter le bateau, le plaça bien en face de la cavité, rentrant les rames au tout dernier moment. La barque s'y engouffra en rasant les parois de chaque côté.

« Je savais que cette torche électrique pourrait servir, déclara Flavia en fouillant dans son sac.

— Et tu n'aurais pas, par hasard, deux masques à gaz là-dedans, hein ? » gémit Argyll.

L'odeur était, en effet, très particulière, même si, naviguant dans un égout à l'air libre qui desservait au moins une demi-douzaine de maisons, il n'y avait là rien d'anormal.

« Ça devrait bientôt s'élargir un peu, dit Dandolo qui ne paraissait pas du tout gêné. Voilà. Je vous l'avais bien dit. »

Il avait raison, comme ils purent le deviner dans l'obscurité presque totale. Flavia alluma sa lampe électrique et dirigea le faisceau lumineux vers divers endroits. Ils se trouvaient dans un tunnel de brique au plafond bas et voûté. Ils aperçurent sur leur droite un petit débarcadère. Une porte s'ouvrait dans le mur du fond.

« Vous pourriez accoster là ? » demanda-t-elle à l'ancien gondolier, lequel s'exécuta sans broncher.

Flavia se leva au moment où l'embarcation cognait contre les dalles et, s'appuyant sur Argyll pour garder l'équilibre, elle posa le pied avec prudence sur le débarcadère.

« Dieu, que c'est répugnant ! lança-t-elle d'une voix dégoûtée dont l'écho lugubre se propagea le long du tunnel sombre et humide. C'est couvert d'une matière verte et gluante. Ça pue encore plus que toi hier soir.

— Ne t'en fais pas ! La pluie va tout nettoyer. Pourquoi ne restes-tu pas dans le bateau ? On voit tout aussi bien..., dit Argyll, après avoir envisagé de la suivre puis rejeté l'idée.

— Parce que j'observe », répondit-elle d'un ton distrait, avançant à quatre pattes tout en projetant la lumière de la lampe dans tous les sens.

Elle sortit un mouchoir de sa poche, se redressa de son mieux, vu les circonstances, et essuya sur ses genoux un peu du dépôt vert et visqueux. Elle contempla le résultat avec dégoût.

« Tu sais combien coûte ce pantalon ? demanda-t-elle sans attendre de réponse. Regarde-moi ça ! Fichu ! On fait de ces choses... Si je n'étais pas aussi douée pour ce boulot, j'envisagerais sérieusement une carrière un peu plus noble.

— Est-ce que ça signifie que tu viens de découvrir quelque chose ?

— Évidemment ! »

Elle balaya avec le faisceau de sa lampe les dalles allant de la porte jusqu'au bord du canal. « Quelque chose, ou plutôt quelqu'un, a été traîné ici il n'y a pas très longtemps. Devine qui ?

— Roberts ? répondit-il, sans faire montre d'un grand génie.

— Exactement ! fit-elle avec satisfaction, en plongeant à nouveau la main dans son sac pour en ressortir un appareil photo. Il aurait mieux valu que les clichés soient pris par un professionnel, continua-t-elle au moment où le flash partit, mais pour le moment ceux-ci feront l'affaire. Bovolo se plaindrait une fois de plus qu'on se mêle de ce qui ne nous regarde pas. Je veux absolument éviter de le prendre à rebrousse-poil. Il refuse déjà de fournir à Bottando des renseignements dont j'ai besoin.

— Tu vas relever des empreintes digitales ? »

Elle secoua la tête.

« C'est hors de mon domaine de compétence, et je doute qu'il y en ait. La surface est trop rugueuse pour en garder. Que veux-tu ? On ne peut pas tout avoir... Ça te dit, une visite à l'improviste chez le Pr Roberts ? »

Mais cela se révéla impossible. La porte, qui, avait-elle annoncé avec assurance, menait aux caves de la maison de Roberts, était fermée à double tour, et Argyll refusa de tenter de la défoncer à coups de pied malgré les encouragements de la jeune femme.

« Tu es folle ? C'est du chêne massif et ça a une trentaine de centimètres d'épaisseur. Et, en plus, je meurs de froid. »

Il avait raison, même si Flavia, qui s'amusait énormément maintenant que le mal de mer était passé, le trouvait un peu rabat-joie. Elle se laissa retomber dans le bateau à contrecœur et Dandolo manœuvra pour regagner le canal en marche arrière.

« Une chose est claire, en tout cas, affirma Flavia avec assurance, on peut désormais mettre au panier la théorie de l'accident.

— C'est ce que tu penses.

— C'est ce que je pense. Roberts reçoit la visite de l'assassin de Louise Masterson. Roberts l'accuse, et la personne en question décide qu'il faut le faire taire. Il l'attrape par le cou, d'où les marques violacées. Direction, la cave et le quai ; il maintient sa victime sous l'eau jusqu'à ce qu'elle se noie et puis file chez lui pour dîner. Pendant ce temps, Roberts dérive dans le soleil couchant jusqu'au moment où Bovolo et ses acolytes le retrouvent. Simple comme bonjour.

— Bon, d'accord. Et maintenant, le banco et le superbanco. Qui ? Pourquoi ? »

Flavia haussa les épaules et resta silencieuse.

Argyll frissonna de nouveau.

« Cet appel téléphonique ? Roberts y a répondu. Van Heteren l'a entendu et a eu peur que Roberts puisse nous en parler ?

— C'est possible. Le bon vieux scénario du crime passionnel. Il reste pourtant le problème de son alibi, bien sûr.

— Alors, Kollmar ? Il se trouvait là à peu près à l'heure en question ? »

Pour toute réponse, elle haussa une fois encore les épaules. Ils avaient regagné le canal et le vent s'était levé. Il étudia le ciel.

« Il pleut toujours, nom d'un chien ! » s'exclama-t-il.

Dandolo grogna, sans cesser de tirer sur les rames.

« C'est vrai. Et ça va d'ailleurs s'aggraver. Il peut y avoir une inondation si ça tombe assez dru. Ça dépendra du vent quand ce sera marée haute, dimanche. Vous voulez que je vous ramène à votre hôtel ? »

La pensée de parcourir tout le Grand Canal en roulant et tanguant sur cette coquille de noix les terrifiait autant l'un que l'autre. Ils l'assurèrent d'une seule voix qu'ils le remerciaient mais qu'il n'en était absolument pas question car ils lui avaient déjà fait perdre assez de temps comme ça. Il les débarqua donc à l'arrêt Ca' Rezzonico du vaporetto. Flavia lui donna une forte somme d'argent et il s'éloigna dans les ténèbres et sous la pluie, en faisant du slalom au milieu de la circulation intense du canal.

« Et Padoue ? Comment ça s'est passé ? » demanda Flavia, tandis que l'embarcation disparaissait dans l'obscurité.

Argyll haussa les épaules.

« Je n'en sais fichtre rien. Louise s'y est rendue, c'est certain. Dans quel but ? C'est une autre paire de manches. Elle a déclaré avoir d'importantes courses à faire, mais en quoi ça consistait, je n'en ai aucune idée. Je commence à avoir des soupçons, cependant... »

Flavia se rembrunit. Les hypothèses d'Argyll étaient dangereuses, et la moindre raison n'en était pas que la première demi-douzaine qu'il émettait avait tendance à être erronée.

« Alors, c'est quoi ? »

Le vaporetto arriva et ils montèrent à bord. Argyll changea de sujet. Ce n'était pas qu'il refusât de répondre, expliqua-t-il, mais il possédait si peu de preuves et elle était toujours si sévère avec lui lorsqu'il se trompait. Par conséquent, si ça ne l'ennuyait pas...

Ça ennuyait Flavia, même si elle ne pouvait guère lui en vouloir. Néanmoins, l'après-midi avait été assez fructueux et il lui tardait de présenter ses conclusions à Bottando. Elle oublia donc l'affaire et rentra à son hôtel pendant qu'Argyll prenait la direction opposée afin de faire quelques emplettes.

Le vendredi il y eut un nouveau voyage en train. Bottando avait d'abord prévu d'accompagner Flavia et de laisser Argyll s'adonner aux occupations auxquelles pouvaient se livrer les marchands de tableaux pendant leurs loisirs. Cependant, la petite excursion à Venise avait déjà trop duré à son goût et, comme il le répétait à l'envi, c'était l'époque du budget. Il fallait élaborer des tableaux de statistiques, passer de la pommade aux bureaucrates, dresser la liste des réussites passées, et soigneusement occulter les petits ratés. C'est donc de fort méchante humeur, sans le moindre enthousiasme mais bourré d'aspirine, qu'il reprit le chemin de son bureau romain.

Pourquoi Flavia n'emmènerait-elle pas Argyll avec elle ? avait-il suggéré avant de partir en faisant une sorte de clin d'œil entendu. Ç'avait toujours été l'une de ses petites illusions que, enfoui dans la relation des deux jeunes gens, se trouvait le germe d'une grande histoire d'amour qui ne demandait qu'à lever. Pour Flavia, les chances d'une telle évolution étaient très maigres, surtout à cause de l'indécision chronique d'Argyll. Mais Bottando adorait prendre un intérêt avunculaire à ce genre d'affaire de cœur et elle n'avait pas envie de lui gâcher ses illusions.

Argyll était ravi de l'accompagner, du moment qu'ils prenaient le train et non pas la voiture. Dans le cas contraire, affirma-t-il, il resterait sur place. Bien qu'il n'eût jamais eu d'accident avec elle et qu'elle conduisît avec une extraordinaire adresse, il était toujours plein d'appréhension, persuadé qu'il ne s'agissait que d'une question de temps. C'était certes grisant de filer à grande vitesse, et l'habitude qu'avait Flavia de plonger son regard dans le vôtre quand elle vous parlait possédait, certes, un charme indéniable. Mais les deux en même temps, cela ne formait pas, selon Argyll, le plus heureux mélange.

Bien sûr, pour la jeune femme, effectuer le trajet en train n'était pas du tout aussi drôle, mais elle se rangea à son avis. Ils prirent donc l'express de dix heures, s'installèrent sur les sièges de première classe qu'elle avait réservés, sièges qu'ils abandonnèrent aussitôt – sur la proposition assez prévisible de Flavia – pour gagner le wagon-restaurant.

Ils mangèrent dans un silence complice et, lorsque la dernière miette eut disparu, Argyll lâcha la petite révélation qu'il méditait depuis la veille au soir. Il sortit les photos de Padoue prises par Louise, ayant fait développer le rouleau de pellicule qu'il avait trouvé dans l'appareil le jour précédent.

« Tiens ! » fit-elle après avoir étudié les clichés un court moment.

Elle lançait toujours cette interjection quand elle savait qu'elle était censée dire quelque chose d'intelligent mais ne voyait pas quoi.

« C'est tout ce que tu trouves à dire ? s'étonna Argyll, un brin déçu. Tu veux que je t'aide un peu ? »

La réponse à cette question allant de soi, il poursuivit : « Dans les deux tableaux peints par Titien à Padoue, le visage est le même que celui de l'autoportrait que possède la marquise. Je croyais que ça t'aurait sauté aux yeux.

— Sans doute... Si j'avais vu ce mystérieux portrait, répliqua-t-elle sèchement. De toute façon, qu'est-ce que ça prouve ? »

Le jeune Anglais se sentit tout penaud, ayant tout de suite été convaincu qu'il s'agissait d'une découverte d'une immense importance. Aucun doute n'était permis : même nez crochu, mêmes joues plates, mêmes cheveux raides. Ce qu'il ne saisissait pas, c'était le manque d'enthousiasme de Flavia.

« Mais tu ne comprends pas que ça explique le vol du tableau ?

— Je ne vois pas pourquoi. Ça montre qu'il y a quatre cents ans un rapport existait entre ces tableaux et tu peux en déduire que Louise le savait. À part ça, je ne vois pas ce que ça prouve. Sauf si tu veux suggérer que le tableau de la marquise est un autoportrait de Titien.

— Non. Certainement pas. On sait très bien à quoi Titien ressemblait.

— Alors, ça nous mène à quoi ?

— J'ai trouvé ça plutôt intéressant..., commença-t-il.

— En effet. Et normalement je serais d'accord. Mais pour le moment on n'a pas de temps à consacrer à ce genre de chose. Tu vas devoir renoncer à tout ce qui n'est pas lié à notre meurtre.

— Mais je pense que c'est lié au meurtre ! protesta-t-il.

— C'est possible. Mais tu ne connais pas le lien. »

Argyll secoua la tête.

« Pas encore, disons. Tu es parfois très exigeante, tu sais. Je croyais apporter ma contribution.

— Et c'est vrai, répondit-elle d'un ton particulièrement irritant. Je ne faisais qu'imaginer la tête de Bottando s'il entendait tes propos. Il dirait seulement : "Qui a tué Louise Masterson et Roberts ? Qui a volé les tableaux et où sont-ils ? Où sont les preuves ?" Et ça nous ne le savons pas.

— Je te trouve très ingrate..., gémit Argyll, piqué. Quand toute mon enquête aboutira inévitablement à l'identification du criminel, il se peut fort bien que je garde le renseignement par-devers moi. »

Elle lui fit un large sourire et lui tapota le dos.

« Tu parles ! Tu t'empresseras de m'en informer. Je te connais. Et je ne cherche pas à te décourager. Mais tu es chargé de retrouver les tableaux. Je souhaite de tout mon cœur que tu réussisses, mais tu es encore très loin du but. »

C'était la vérité. L'image de son employeur londo-nien, s'impatientant de plus en plus, sans doute, dans l'attente de résultats concrets, le plongea dans une rêverie morose pendant la demi-heure suivante. Ensuite il sortit son livre afin de se distraire pendant que le train traversait en sifflant la morne et ennuyeuse plaine de la Vénétie et entrait dans la morne et ennuyeuse plaine lombarde. C'était un roman policier du genre léger et divertissant que Flavia lui confisqua sur-le-champ.

« Lis ça plutôt, lui intima-t-elle en lui tendant le livre de Louise Masterson sur l'iconographie de la Renais-sance. Ça fait du bien à l'âme.

— Je suis obligé ? demanda-t-il d'un ton plaintif.

— Oui. Il me faudrait des semaines entières pour déchiffrer une telle quantité d'anglais. Parcours-le et dis-moi ce que tu en penses. Ça ne va pas te prendre longtemps. »

Il contempla l'ouvrage d'un œil soupçonneux. C'était affreusement long, et cela l'agaça de s'apercevoir que pour passer le temps Flavia avait acheté un magazine bien plus intéressant. Il regarda les illustrations, qu'il préférait toujours au texte, puis se pencha pour ramasser le talon d'un billet qui était tombé d'entre les pages.

« Elle s'est pas mal promenée pendant ses derniers jours, observa-t-il.

— Hein ? » fit Flavia, l'esprit ailleurs, absorbée qu'elle était dans la lecture de son horoscope qui, pour les trente jours à venir, prédisait avec assurance de graves problèmes financiers accompagnés de passionnantes affaires de cœur pour un douzième de la population mondiale.

« Elle est arrivée en train à Venise en provenance de Saint-Gall. Où se trouve Saint-Gall ?

— En Suisse, il me semble... Quel est ton signe ?

— Lion... Pour quelle raison serait-elle allée à Saint-Gall ?

— Lion ? Tu en es sûr ? Tu es censé être un battant et savoir ce que tu veux... Ça se trouve sur les bords du lac de Constance. Bel endroit. Peut-être qu'elle souhaitait se reposer toute une journée pour être en forme. Comme Miller avec sa natation.

— Qu'est-ce que tu veux dire par "censé être" ? » demanda-t-il, vexé.

Elle ne répondit pas. Et ne lui révéla pas non plus ce que lui réservaient les étoiles ce mois-là.

Devant la grande gare de Milan, Flavia héla un taxi qui émettait un sifflement digne des locomotives à vapeur d'antan et qui, le long de rues bruyantes et embouteillées, les conduisit jusqu'à l'appartement de Benedetti. Argyll se sentit bizarrement mal à l'aise jusqu'au moment où il comprit que, même après si peu de jours passés à Venise, il avait perdu l'habitude de voir, d'entendre, de sentir et d'éviter les voitures partout où il allait. Vive les canaux, en fin de compte !

Le signor Benedetti était un homme un peu frêle et, comme beaucoup de personnes âgées après le déjeuner, il était en train de faire une profonde sieste quand ils arrivèrent à son domicile. Sa bonne le secoua avec vigueur pour le réveiller. Il bâilla, cligna les paupières, se frotta les yeux pendant qu'elle lui rappelait le rendez-vous et expliquait qui étaient les visiteurs. Puis elle l'aida à s'extirper du vieux fauteuil de cuir. Il avança vers eux en chancelant, les salua, bredouillant qu'il était désolé de ne pas avoir eu la courtoisie de s'être mieux préparé à les accueillir.

« Ne vous en faites pas ! le rassura Flavia. C'est très aimable à vous de nous recevoir si vite.

— Grands dieux ! ma chère petite dame, j'en suis ravi. Un vieil homme comme moi a rarement l'occasion de recevoir chez lui des jeunes gens. Surtout de belles jeunes femmes comme vous. »

Pas d'allusion aux beaux jeunes hommes, remarqua Argyll. Ah bon ! En tout cas, il faisait ses compliments avec dignité. Pas de baisemain baveux ou ce genre d'idioties.

Ils s'assirent, Argyll et Flavia sur un sofa du *settecento* aux pieds minces et à l'aspect plutôt fragile, Benedetti dans le fauteuil de cuir beaucoup plus volumineux. Les deux jeunes gens étudièrent leur hôte avec attention tandis que la bonne, qui paraissait également faire office d'infirmière, l'enveloppait dans une épaisse couverture de laine. Il devait avoir plus de quatre-vingts ans. Pas très bien conservé, mais, à l'évidence, il savait se faire dorloter. À cause du ratatinement dû à l'âge, la tête de chérubin ridé paraissait trop grosse de plusieurs tailles pour le petit corps qu'elle surmontait. Quand il fut bien emmitouflé, il fixa ses deux visiteurs, attendant qu'ils prennent la parole.

Flavia raconta comment Louise Masterson avait été

assassinée alors qu'elle travaillait sur le tableau du vieil homme. Il l'écouta patiemment, hochant la tête en silence. Il était fort désolé d'apprendre cette triste nouvelle, affirma-t-il d'une voix calme. C'était une femme charmante...

« Vous l'aviez donc rencontrée ?

— Oui, en effet », répondit-il.

Elle lui avait fait une brève visite la semaine précédente. Son ami Georges Bralle lui avait envoyé une lettre pour la lui présenter et il avait été absolument ravi de la recevoir. Surtout qu'elle s'intéressait à ses tableaux.

« Je suis très fier de ma petite collection, même si ce comité n'a guère été impressionné. Je le regrette beaucoup.

— Vous connaissez bien Bralle ?

— Bien, c'est beaucoup dire. Quand, il y a environ deux ans, j'ai pensé vendre l'esquisse, Georges m'a suggéré de consulter officiellement ce comité. Cela se passait, naturellement, avant qu'ils se disputent et que Georges se retire en signe de protestation.

— Ils se sont disputés ?

— En quelque sorte. Mais je me trompe peut-être. Georges a toujours été un peu chatouilleux à propos de ce comité. Il avait tendance à le considérer comme sa propriété personnelle. Je suis sûr que c'était entièrement sa faute. C'est un homme charmant, mais pas facile.

— Et vous avez consulté le comité ?

— En effet. Et finalement le Pr Roberts est venu voir le tableau.

— Et il a dit qu'à son avis, ce n'était pas un Titien ?

— Pas du tout ! Il a clairement expliqué qu'il s'agissait d'une visite préliminaire et qu'un collègue devrait confirmer son opinion, mais, à en juger par sa réaction, j'ai eu la nette impression qu'il le considérait comme on ne peut plus authentique ; surtout lorsque je lui ai montré les documents que Bralle m'avait envoyés. »

Encore un nouveau mystère. Personne n'avait auparavant mentionné des documents. Tout au contraire.

« De quoi parlez-vous ?

— Au fil des ans, Georges m'a envoyé plusieurs éléments glanés au cours de ses recherches – quand il s'en souvenait. En fait, je ne l'ai pas vu depuis une bonne dizaine d'années. Vous savez, des fragments recueillis ici et là. Il n'a jamais étudié ce tableau en particulier, mais il lui arrivait de tomber sur quelques bribes d'information qu'il me faisait parvenir. Mis bout à bout, ces éléments formaient un ensemble qui m'avait paru très convaincant. Sur le bureau... », conclut-il en désignant le meuble.

Flavia alla prendre un dossier qu'il avait sorti pour l'occasion. Il avait l'esprit assez dispos pour deviner le but de leur visite. Elle jeta un coup d'œil au contenu – la lettre d'introduction écrite par Bralle, des contrats de vente datant des années quarante, des factures de nettoyage et d'encadrement, etc. Rien d'autre. Elle le fit remarquer.

« Ah ! suis-je donc bête ! Bien sûr, j'ai tout remis au Pr Roberts pour qu'il le donne à son collègue.

— Alors, qu'est-ce qui n'a pas marché ?

— Je n'en sais rien. Roberts avait dit que c'était son

collègue qui se chargerait de cet aspect de la question et qui rédigerait le rapport final en y intégrant ses propres découvertes. À l'évidence, cet homme n'a pas trouvé les preuves assez convaincantes. J'ai été extrêmement déçu, je dois vous le dire. Et Georges aussi quand je lui ai fait part du résultat.

— Et que pensait le Pr Masterson ?

— Je n'en sais rien non plus. Elle m'a dit qu'elle me le dirait plus tard, quand elle aurait terminé tout son travail. On n'en a pas discuté beaucoup. Je crains d'avoir beaucoup trop parlé. Je ne reçois pas grand monde ces jours-ci, alors lorsque j'ai des visites je me laisse emporter. J'ai dû horriblement l'ennuyer avec mes petites anecdotes, bien qu'elle m'ait dit que non. Elle est restée assise à m'écouter très longtemps, ce qui lui a même fait rater son train. C'était fort aimable de sa part, j'ai trouvé.

— Elle n'a vu aucun document ?

— Je lui ai proposé de lui procurer des copies, mais elle a dit qu'elle n'en avait pas besoin. Ça m'a un peu surpris, je dois dire.

— Quand le Pr Roberts vous a rendu visite, de quoi avez-vous parlé ? »

Il se plongea dans ses réflexions ; il y eut un silence qui se prolongea de manière inquiétante. Il finit par hocher lentement la tête tandis que le souvenir refaisait surface.

« De rien, la plupart du temps. Je lui ai montré le tableau et l'ai laissé seul avec. Ça a duré environ une heure. Puis je lui ai offert à boire. Il a décliné mon invitation à déjeuner, et il est parti. Nous avions passé un certain temps à discuter de mon désir de vendre le tableau.

— C'est-à-dire ?

— Évidemment, j'ai dit que j'espérais assez qu'il authentifierait le tableau puisque je souhaitais le vendre. Il m'a répondu qu'il ferait son possible. Il a été extrêmement coopératif. Lorsque le comité a voté contre, il m'a écrit afin de s'excuser pour ce qu'il considérait comme une idiotie de bureaucrates et il a proposé de me fournir un certificat d'attribution signé par lui seul, jusqu'à ce que l'affaire soit complètement tirée au clair. Avec une rémunération de cinq pour cent sur le prix de la vente. Je crois comprendre que c'est une procédure normale. J'ai consulté Georges qui m'a suggéré d'attendre, au cas où le comité changerait d'avis. J'ai donc refusé l'offre. C'était tentant, mais je n'étais pas vraiment pressé de vendre. »

Argyll était littéralement bouche bée. Il regarda Flavia, mais elle paraissait tout à fait imperturbable ; aussi se tint-il coi, pour le moment.

« Peut-être auriez-vous envie de voir le fameux tableau ? demanda le vieil homme. Ce serait dommage de venir de si loin sans y jeter un coup d'œil. »

Les deux jeunes gens saluèrent cette proposition d'un hochement de tête enthousiaste et Benedetti s'extirpa avec précaution de son fauteuil, Flavia l'aidant d'un côté et Argyll de l'autre. Une fois qu'il fut remis sur pied et qu'il eut repris son équilibre, il mena lentement la marche vers ce qu'il appelait son cabinet, c'est-à-dire un petit bureau où il rangeait ses tableaux de format réduit.

Argyll eut un pincement au cœur. Que n'aurait-il pas fait pour avoir un tel cabinet ! Délicates moulures de plâtre au plafond, cheminée de marbre où brûlait un agréable feu de bûches, milliers d'ouvrages reliés en cuir dans une bibliothèque en chêne foncé ciré. Lumière, chaleur, ambiance de confort cossu. Et des tableaux, plusieurs dizaines, de grande qualité, disposés à l'ancienne, l'un au-dessus de l'autre – le contraire de la présentation moderne dépouillée où chaque œuvre est mise en valeur par un spot lumineux.

« Magnifique, s'extasia Argyll, absolument magnifique ! »

Benedetti lui fit un sourire de remerciement.

« Merci. Sans fausse modestie, je dois dire que vous avez raison. C'est l'endroit que je préfère au monde. Quand je suis assis dans cette pièce, je me sens au comble du bonheur. Je serais désolé de la quitter. Hélas ! je ne pense pas qu'au paradis il y aura un lieu à moitié aussi agréable, même si j'ai la chance d'y être admis. Au fait, le voici. »

Il étendit une main tremblante vers un tableau accroché entre les deux fenêtres, coincé entre un petit intérieur flamand du XVIIᵉ et ce qui semblait être un paysage français du XVIIIᵉ.

Il s'agissait d'une scène assez banale. Un homme au nez aquilin, portant un costume rayé rouge et blanc, était assis devant une table sur laquelle on voyait une grande quantité de mets, du vin et de grosses fleurs. Il était entouré de trois autres personnages, l'un d'eux habillé en moine ; sur le mur du fond se trouvait une sculpture représentant le Crucifié. Le sujet tenait ses mains nouées sur son ventre. Des anges, comme ça leur arrive parfois, voletaient dans toute la pièce en soufflant dans des trompettes. C'était une scène tout à fait banale de la vie quotidienne au XVIe siècle. Les coups de pinceau étaient épais et appuyés, comme appliqués à la hâte. Il s'agissait manifestement d'une esquisse exécutée en prévision du tableau définitif.

« Bon, Jonathan, c'est ton domaine. Qu'en penses-tu ? »

Argyll fixait le tableau, stupéfait. À quoi jouaient ces gens ? Déconcerté, il secoua la tête.

« Je n'y comprends absolument rien », dit-il.

Les deux autres le dévisagèrent.

« Ce que je veux dire, reprit-il, c'est que je ne vois pas comment il pourrait y avoir le moindre doute. Il est absolument évident qu'on a affaire à une esquisse préliminaire pour l'un des panneaux de la série consacrée à saint Antoine de Padoue ; je ne comprends pas qu'on ait pu hésiter une seule seconde.

— Tu es certain ? demanda Flavia, impressionnée par son assurance. Après tout, tu n'es pas un spécialiste de Titien.

— Tout à fait. D'abord, Titien a apparemment peint une esquisse pour une scène de la série qui a été rejetée par les moines. Alors il en a fait une autre. Celle-ci possède la bonne taille. Ce sont les bonnes couleurs, c'est aussi le bon style. Saint Antoine était moine, comme le personnage de l'esquisse. Dans les trois tableaux le personnage central porte un costume rayé

rouge et blanc. Je suis sûr qu'il s'agit du *Miracle du festin*.
Au cas où votre connaissance de la vie des saints laisserait un peu à désirer, saint Antoine assistait à un repas où
l'hôte avait tenté d'empoisonner l'un des invités. La
présence de saint Antoine a rendu le poison inoffensif,
et chacun s'est senti affreusement coupable et s'est
repenti de ses péchés. Vous reconnaissez le scénario
habituel… »

Benedetti opina du bonnet.

« Vous êtes fort savant, jeune homme, dit-il, ignorant
qu'Argyll tirait ses renseignements d'un guide bon
marché acheté la veille. Cependant, il y a un petit hic,
comme l'avait remarqué le Pr Masterson. Tout l'intérêt
de cette légende c'est que l'invité avait avalé le poison
avec joie, "louant Dieu dans son cœur". Or cet homme
a l'air de toute évidence malade. En outre, il y a la petite
inscription au bas. Elle est tirée du livre de Job, je crois.
Homo igit consutut… "Un homme meurt et disparaît."
Ça semble malvenu pour un miracle concernant un
sauvetage. »

Ils s'approchèrent tous les trois du tableau et l'étudièrent de près. Le vieil homme avait raison, c'était clair :
ceux qui entouraient le personnage principal, dans la
mesure où l'on pouvait distinguer leurs traits, paraissaient plus joyeux que frappés de stupeur. Et l'invité lui-
même n'avait pas du tout l'air de quelqu'un qui vient de
recevoir le signe indubitable de la protection divine. En
réalité, il avait l'air très mal en point : la pâleur et la

maigreur du visage étaient accentuées par les cheveux noirs et raides tandis que l'expression d'angoisse mettait en relief le nez un peu pointu.

« Une seconde, Flavia. Est-ce que ce pif ne te dit rien, hein ? » Il sortit prestement sa collection de photos et l'étala sur le bureau en bois de rose. C'était plutôt convaincant.

« Voilà ! s'exclama-t-il. Preuve incontestable, ou presque. L'invité est la même personne que le mari assassin dans l'autre scène. Et, entre parenthèses, le même homme que le personnage du portrait de la marquise. C'est la raison pour laquelle Louise n'avait que faire de documents. Elle n'avait pas besoin de preuve écrite. C'est pourquoi elle s'est rendue à Padoue.

» Je ne sais pas ce que vous allez en penser, dit-il dans un brusque et étonnant accès de dynamisme, mais je suis le représentant pour l'Italie de la galerie Byrnes de Londres. Si vous souhaitez vendre ce tableau, je m'en charge. Soit vous nous donnez une commission fixe, soit un pourcentage, mais je peux vous garantir qu'on en obtiendra un très bon prix. Et pas d'honoraires pour l'authentification. Avec toutes ces preuves, il n'en a guère besoin. »

Benedetti réfléchit un moment, puis opina du chef. Malgré son grand âge il redevenait très alerte dès qu'on parlait d'argent. Un banquier reste toujours un banquier. C'était sans doute dû à l'air lombard.

« Ça me semble être une offre intéressante. Il faudra vous charger de toute la documentation, de toutes les démarches, etc. Je vous enverrai une lettre détaillant mes desiderata et vous pourrez envoyer un contrat provisoire à l'intention de mon notaire. Le tableau ne sera pas mis en vente comme un Titien et il n'y aura pas d'honoraires. C'est bien ça ? »

Argyll acquiesça, tout en se demandant s'il ne s'avançait pas un peu trop vite. Il était très surpris que le vieillard se montrât soudain si décidé. Il avait imaginé plusieurs semaines au moins de négociations ardues. Mais il avait rarement été aussi sûr de lui, surtout à propos de l'authenticité d'un tableau.

« D'accord. Et je recevrai ma commission. Ça, ça ne fait à mes yeux aucun doute. »

Flavia toussota pour signaler qu'elle était toujours là.

« Désolée de vous interrompre, mais nous sommes là pour élucider un meurtre et non pas pour négocier des tableaux. Et je ne suis pas certaine qu'il soit bienséant d'acheter ou de vendre un objet qui risque de se trouver être un élément de preuve. »

Argyll fit un radieux sourire.

« Excuse-moi. Mais aujourd'hui il faut si longtemps pour organiser une vente que je suis persuadé que cette affaire sera résolue avant.

— Pas trop longtemps, j'espère, jeune homme. Souvenez-vous que je suis vieux et que je dois penser à mes descendants.

— Parlez-moi de Georges Bralle. Où vit-il ? demanda Flavia pour ramener la discussion sur des chemins plus appropriés.

— Dans le midi de la France. Quand il a pris sa retraite, il est allé s'installer dans la petite maison qu'il possède dans cette région. Il ne la quitte pratiquement jamais. Pourquoi cette question ? »

Flavia secoua la tête.

« Parce qu'il l'a quittée il n'y a pas si longtemps. La lettre d'introduction qu'il a donnée à Louise Masterson a été écrite dans un hôtel de Saint-Gall, en Suisse, le jour où elle se trouvait elle aussi dans la ville. Pour quelqu'un qui s'est retiré du comité, il reste en contact étroit avec celui-ci... Je pense qu'il serait peut-être fort intéressant d'entendre ce qu'il a à à dire. Un point de vue extérieur bien informé, en quelque sorte. Avez-vous son numéro de téléphone ? »

Benedetti eut l'air désolé.

« Je crains que vous n'ayez du mal à le joindre. Il n'a pas le téléphone. Il a toujours détesté cet instrument, et maintenant qu'il a pris sa retraite, il se passe tous ses petits caprices. Il n'a jamais aimé le XXe siècle. Il adore écrire des lettres, mais vous trouverez sans doute ce moyen un peu lent. »

Il lui donna l'adresse et Flavia lui demanda s'il était prêt à faire une déposition officielle au sujet de ce qu'il leur avait déclaré. Il dit qu'il en serait, bien sûr, ravi, et ils prirent congé. Lorsqu'ils se retrouvèrent sur le trottoir, Flavia héla un taxi et pria le chauffeur de se rendre le plus rapidement possible à l'agence de location de voitures la plus proche.

« Ça, ça ne me plaît guère. Où va-t-on ?

— En France. Ou plus précisément à Balazuc. C'est un village de l'Ardèche, il me semble. Environ neuf heures de voiture. On peut y être dès demain et prendre un avion à Lyon pour rentrer à Venise. Ça a l'air très théâtral et c'est vraiment casse-pieds, mais on n'a pas le choix... »

11

S'étant retrouvé dans la situation qu'il voulait justement éviter, c'est-à-dire occupant le siège du passager
d'une Alfa Romeo conduite par Flavia sur une autoroute
italienne un vendredi soir à l'heure de pointe, Argyll
essayait malgré tout de se dominer et de rester calme. Il
récita intérieurement la prière des morts tandis qu'elle
réglait sa vitesse de croisière à cent soixante kilomètres-
heure, mais, à part son habitude d'utiliser les deux mains
pour allumer ses innombrables cigarettes, elle ne fit, en
somme, presque rien qui justifiât les incantations du
jeune homme. C'était une excellente conductrice. En
fait, ce qui inquiétait surtout Argyll, c'était le comportement de tous les autres automobilistes.

Quoi qu'il en soit, il était toujours très fier de la
manière dont il avait saisi l'occasion qui s'était présentée
à Milan, et Flavia l'avait elle aussi félicité.

« Mais tu es sûr que c'est un vrai ? »

Il hocha vigoureusement la tête.

« Absolument ! Je le sens au plus profond de moi.

— Je ne crois pas cependant que ce soit une preuve suffisante.

— En effet. C'est pourquoi je suis heureux de t'accompagner chez Bralle. Je veux voir quelles sont les preuves qu'il a dénichées.

— Mais pourquoi donc l'homme est-il si malheureux alors qu'il est censé tomber en extase ? »

Les problèmes de la recherche…

« Je ne sais pas. Toutes ces questions… Tout ce que je peux dire, c'est que Louise était convaincue et je suis prêt à parier sur la sûreté de son jugement. Et, en fin de compte, également sur celle du jugement de Bralle et de Roberts. Mais quel dommage qu'elle ne soit plus des nôtres pour nous fournir une petite indication ! Ce qui me tracasse davantage, c'est pourquoi, de tous ceux qui ont examiné le tableau, Kollmar est le seul à avoir une opinion différente. Et pourquoi il affirme que Roberts lui a dit que c'était un faux alors que Roberts t'a déclaré, à toi et à Benedetti, pratiquement le contraire ? Et pourquoi Bralle a-t-il dit que Kollmar n'avait pas commis d'erreur ?

— Je donne ma langue au chat.

— Moi aussi. Et, enfin, que penser du comportement infect de Roberts envers Benedetti ?

— Hein ? demanda-t-elle d'un air distrait en se collant à un camion, avant de déboîter pour doubler une BMW dont le conducteur, vexé, les prit en chasse. De quoi parles-tu ?

— Le pourcentage. Roberts a proposé à Benedetti d'authentifier le tableau en échange d'un pourcentage

sur le prix obtenu à la vente aux enchères. C'est mons-
trueux. Il n'a pas le droit de faire ça.

— Ce n'est pas très grave, non ?

— Pas grave ? Bien sûr que si. C'est pratiquement de
la prostitution, voilà ce que c'est. Donner son avis pour
de l'argent tout en faisant semblant de n'être motivé que
par la recherche de la vérité ! En outre, quelle serait la
réputation du comité si l'on pensait que son avis dépend
des sommes que les propriétaires sont disposés à verser.
C'est malhonnête ! »

Il avait l'air vraiment choqué, réaction qui paraissait à
Flavia un tantinet excessive, vu la manière dont il gagnait
lui-même sa vie.

« Ce n'est pas du tout la même chose, répliqua-t-il
avec hauteur. Tout le monde sait que les galeristes font
ce métier pour gagner de l'argent. Raison pour laquelle
personne ne nous fait confiance. Ce n'est pas du tout le
cas des universitaires qui sont payés par l'État pour être
objectifs. Ils ne devraient pas accepter les pots-de-vin.

— Ah ! l'argent ! s'exclama-t-elle avec satisfaction
quand le petit accès de puritanisme d'Argyll se fut
calmé. Il paraît qu'un mobile pécuniaire dans une
enquête sur un meurtre est toujours le bienvenu.

— Ce ne serait pas une grosse somme, remarque. Ce
tableau pourrait atteindre tout au plus cent cinquante
mille dollars, dans le meilleur des cas. Ce n'est qu'une
esquisse. Cinq pour cent de cette somme, ça ne fait que
sept mille cinq cents dollars. Ça ne vaut pas la peine
d'assassiner quelqu'un pour ça, il me semble. Peut-être

s'agissait-il d'un trio : celui des membres fondateurs, Bralle, Roberts et Kollmar.

— Et Louise ?

— Kollmar découvre qu'elle s'est rendue à Milan où elle s'est aperçue qu'il a fait disparaître des preuves.

— Comment ?

— Comment quoi ?

— Comment a-t-il découvert qu'elle s'est rendue à Milan ? »

Argyll fit un geste désinvolte de la main pour écarter de telles bagatelles.

« Comment le saurais-je ? Ce ne sont que des hypothèses. Les faits, c'est ton rayon. En tout cas, il quitte l'Opéra en catimini, lui flanque des coups de couteau, puis revient. Ou alors c'est Roberts.

— Et qui est-ce qui pique les tableaux ? La signora Pianta ? » Elle lui jeta un coup d'œil sceptique. « À t'entendre ça ressemble davantage à un jeu de chaises musicales qu'à une enquête criminelle. »

Il ne sut que répondre. Dommage ! car il commençait à s'amuser.

« Ah ! bien. Je suis certain que je trouverai tôt ou tard l'explication. »

C'était un long trajet, bien trop long pour une conversation cohérente, d'autant plus qu'ils étaient déjà fatigués au moment du départ. Ils firent une halte pour dîner, et à presque minuit ils n'avaient toujours pas atteint la frontière française. Une fois qu'ils l'eurent traversée, Argyll, qui avait pris le volant et roulait à une allure plus civilisée, gara la voiture sur le bas-côté.

226

« Qu'est-ce qui se passe ? demanda-t-elle comme il éteignait le moteur.

— Dodo. Je suis vanné. On a encore un bon bout de chemin, et même si on roulait d'une seule traite on arriverait à cinq heures du matin, ce qui est trop tôt. C'est pourquoi je vais faire un petit somme. »

C'était une sage décision. Elle abaissa le dossier de son siège, s'enveloppa dans le manteau de sa mère et suivit son conseil. Ils se trouvaient assez haut dans la montagne et à l'extérieur l'air était glacial, comme s'en aperçut Argyll dès que le moteur refroidit. Il se mit à frissonner. Pourquoi diable n'étaient-ils pas descendus dans un hôtel ? Il n'avait pas l'intention de passer toute la nuit à écouter claquer ses propres dents. Il se glissa le plus délicatement possible sous le manteau de Flavia.

« Qu'est-ce que tu fais ? murmura-t-elle, à demi consciente.

— Technique de survie de base, répondit-il, en sursautant légèrement lorsque le levier du frein à main lui rentra dans le dos. Chaleur corporelle. Bonne nuit ! »

Ils demeurèrent ainsi pendant environ quatre heures et dormirent plutôt bien, si l'on considère que les Alfa Romeo ne sont pas vraiment faites pour ça. Puis le chœur de l'aube et les envies de café de Flavia les réveillèrent et ils roulèrent jusqu'à ce qu'ils trouvent un café pour prendre le petit déjeuner.

À partir de là le voyage se déroula sans encombre. Il y avait peu de circulation, comme on pouvait s'y attendre un samedi matin, et la conversation languit un peu. Vu qu'ils se relayaient au volant, le reste du voyage leur prit encore cinq heures environ, et ils étaient tous les deux fatigués et ankylosés lorsque, peu après le déjeuner, Flavia aperçut un petit panneau peint, à moitié recouvert par la végétation, qui annonçait aux passants que Balazuc, « *Village historique** », ne se trouvait qu'à 3,8 km au bout d'un étroit chemin partant sur leur gauche.

« Merci, mon Dieu ! s'écria Flavia, et Argyll, qui conduisait, s'y engagea.

— Qu'est-ce qu'on va faire quand on y sera ? demanda-t-il. Georges Bralle, Balazuc, on ne peut pas dire que ce soit une adresse très précise.

— On cherchera le bar, je suppose », répondit-elle en repliant la carte, le regard fixé sur les monts rocheux de chaque côté.

Elle semblait découvrir le paysage rocailleux, car, n'ayant pas levé le nez de la carte depuis deux heures, elle n'avait guère eu l'occasion de s'habituer aux modifications de la nature.

« C'est assez joli, n'est-ce pas ? dit-il tout en conduisant la voiture le long d'une route étroite et sinueuse qui montait dans la vallée encaissée. Dieu du ciel ! »

Le village apparut soudain après un virage, comme s'il avait poussé sur la paroi rocheuse qui tombait à pic dans le fleuve. C'était un spectacle extraordinaire ; pratiquement toutes les constructions paraissaient dater du Moyen Âge.

« Extrêmement impressionnant ! fit-elle pour se

montrer généreuse. C'est presque aussi beau que la Toscane. »

Cependant, quels que fussent ses attraits esthétiques, le principal défaut du village, c'était que l'unique bar était fermé. Ce n'était pas non plus une ruche : une seule rue, d'innombrables ruelles bien trop étroites pour qu'on puisse les emprunter en voiture et pas le moindre habitant en vue.

« Je crains que personne n'habite ici depuis le Moyen Âge, observa Argyll. Que faire ? Hurler pour voir ce que ça donne ? »

Ils se penchèrent au-dessus d'un parapet pour scruter la vallée pendant que Flavia réfléchissait. Puis elle se dirigea vers la maison la plus proche et appuya sur le bouton de la sonnette. Aucune réponse. Personne non plus dans la maison d'à côté, ni dans la suivante.

« J'ai l'impression que désormais ce sont toutes des résidences secondaires. Ça pose un petit problème, hein ? dit-elle. Il doit bien y avoir quand même un habitant, quelque part. »

Ils entendirent un léger ronflement en provenance du bord opposé de la vallée et soudain, après un virage, à environ un kilomètre et demi, ils aperçurent une camionnette jaune. Argyll plissa les yeux.

« C'est le facteur, annonça-t-il avec soulagement. Et il vient vers nous. Nos ennuis sont peut-être sur le point de se terminer. »

Ils regardèrent avec beaucoup d'attention la camionnette décrire les courbes de la route, traverser le pont, s'arrêter pour ramasser du courrier, faire encore une centaine de mètres, avant de s'immobiliser une nouvelle fois. Puis elle sortit de leur champ de vision et réapparut enfin. Elle ralentit en passant devant leur voiture immatriculée à Milan tandis que le conducteur étudiait cette étrange vision. C'était manifestement un événement inhabituel en ces lieux. Argyll lui fit signe de s'arrêter et une longue discussion s'ensuivit. Finalement, Argyll désigna une direction, le facteur secoua la tête et indiqua la direction opposée, avant de se baisser pour prendre une liasse de lettres qu'il tendit au jeune homme. Celui-ci revint vers Flavia.

« De quoi donc s'agissait-il ?

— Apparemment, c'est un peu compliqué. Il faudra qu'on s'y rende à pied et le facteur m'a demandé si ça me gênerait de distribuer le courrier de toutes les maisons là-haut, si j'allais dans cette direction.

— Mais est-ce que Bralle est là ?

— Il n'en sait rien. Il ne l'a pas vu depuis au moins dix jours. Mais j'ai eu l'impression qu'il n'y avait rien là d'inhabituel. Allons-y ! »

La ruelle qu'ils suivirent les fit sortir par le haut du village et déboucher en pleine campagne. C'était un spectacle à vous couper le souffle et, en effet, Flavia haletait, même si c'était davantage dû à la côte et au manque d'exercice qu'au merveilleux panorama qui s'étendait devant leurs yeux.

« Il a intérêt à être chez lui après tout ça, grommela-t-elle. Tu es sûr que c'est la bonne route ? »

Argyll répondit d'un hochement de tête afin de ne pas révéler son propre essoufflement.

« Ce doit être une de celles-ci », affirma-t-il, au moment où, parvenus au sommet de la côte, ils aperçurent deux maisons au loin, perchées toutes les deux au bord du précipice.

Ce n'était pas la première car le nom inscrit sur le portail ne correspondait pas. Argyll déposa quelques-unes des lettres dans la boîte et ils continuèrent leur chemin. Sur le portail de la seconde maison, de petites lettres de cuivre annonçaient que Georges Bralle habitait là.

Cela lui arrivait, peut-être, mais ça ne paraissait pas être le cas en ce moment. Les volets de cette maison aux épais murs de pierre étaient tous fermés et du dehors on ne percevait aucun signe de vie.

« Ah ! zut ! je crains qu'on n'ait fait ce long périple pour rien. »

Flavia poussa un gémissement.

« Allons quand même vérifier ! Quel crétin ! Pourquoi diable n'a-t-il pas le téléphone ? »

À tout hasard, mais sans grand espoir de recevoir une réponse, ils cognèrent violemment contre la porte. Peine perdue. Ils firent le tour de la maison en tapant contre les volets. Sans plus de succès. Argyll paraissait contrarié ; Flavia semblait sur le point de fondre en larmes.

« Ne t'en fais pas ! lui dit-il pour la réconforter, peut-être est-il parti faire sa promenade matinale.

— Après le déjeuner ? Après avoir fermé tous les volets ? C'est impossible ! Il n'est pas là… »

Elle s'assit sur une pierre dans l'allée afin de râler à son aise, pendant qu'Argyll refaisait seul un dernier tour à la recherche d'un signe de vie. Il n'y avait pas de volets à toutes les fenêtres. Une petite ouverture – une salle de bains peut-être – n'en possédait pas. Il la fixa du regard, tandis qu'une idée inquiétante lui traversait l'esprit. Tu ne vas quand même pas oser ! se dit-il. D'un autre côté, Flavia était malheureuse, et, pis encore, elle pouvait fort bien décider de rester assise là toute la journée, dans l'attente d'un hypothétique retour de Bralle.

Sans réfléchir davantage, il chercha des points d'appui et escalada le mur en s'aidant des pieds et des mains. De plus en plus haut. Il avait presque atteint la fenêtre en question lorsqu'il jeta un coup d'œil en arrière et se rendit compte de ce qu'il était en train de faire. S'il lâchait prise, non seulement il tomberait d'une hauteur d'environ quatre mètres cinquante sur un sol pierreux et irrégulier, mais il rebondirait probablement sur l'étroite corniche avant d'être projeté dans le ravin en contrebas. Il s'immobilisa et réfléchit quelques instants. C'était sans doute plus périlleux de redescendre que de continuer à monter. Il progressa donc, centimètre par centimètre, tout en se demandant ce qu'il ferait une fois parvenu à destination.

La fenêtre était fermée, mais le cadre tenait si mal qu'il n'était pas nécessaire d'être un cambrioleur chevronné – ce que n'était certes pas Argyll – pour la forcer sans l'abîmer. Il se glissa par l'ouverture avec précaution, passa la moitié du corps, s'aperçut qu'il serait impossible de rebrousser chemin… Pris de panique, il perdit l'équilibre et tomba la tête la première dans un bidet. Un long silence suivit pendant qu'il se relevait avec difficulté en gémissant et vérifiait que tous ses os étaient en place et possédaient toujours la bonne longueur.

« *Monsieur Bralle** ? cria-t-il, au cas où le vieil homme aurait fait la sieste et eût été réveillé par l'intrusion. Holà ! »

Pas de réponse…

Il ouvrit tout doucement la porte de la salle de bains et s'aventura dans le couloir. Pas un bruit. C'était bien la maison d'un vieillard, imprégnée qu'elle était de cette étrange odeur de moisi et de rance qui règne souvent chez les vieux. Il abaissa un interrupteur, la lumière jaillit. C'était bon signe, sans aucun doute : si le propriétaire avait été parti pour longtemps, il aurait probablement coupé le courant. Il trouva l'escalier et descendit au rez-de-chaussée.

Un vestibule avec une porte de chaque côté. Il poussa celle de gauche, qui s'ouvrait sur une salle à manger au-delà de laquelle on devinait une cuisine. Aucune de ces deux pièces ne présentait de signe de vie. Puis il entra dans la pièce d'en face, un salon, qui était vide lui aussi, mais d'où émanait une odeur beaucoup plus forte. Dans le salon s'ouvrait une autre porte donnant sur un bureau qui recelait la source de l'odeur désormais nauséabonde.

« Berk ! » s'écria-t-il, pétrifié d'horreur.

Georges Bralle – en tout cas, peu enclin à vérifier les petits détails, Argyll présuma volontiers qu'il s'agissait de lui – était assis dans un fauteuil. Affalé sur le bureau, il n'avait manifestement pas bougé depuis quelque temps. En d'autres termes, il était mort et en état de décomposition avancée.

Ce ne fut pas tant le choc de buter soudain sur un cadavre – bien qu'Argyll n'eût pas beaucoup d'expérience en ce domaine –, ni vraiment l'éventualité d'une mort violente, sans qu'on pût en déterminer la nature pour le moment, que le teint verdâtre et luisant de ce cadavre, son odeur suffocante et la grosse mouche trop bien nourrie qui voletait au-dessus en bourdonnant qui firent reculer Argyll de deux pas, pivoter sur lui-même et, pris d'une puissante et irrésistible nausée, déposer ce qui restait de son petit déjeuner dans un coin de la pièce.

Épuisé par l'effort, il s'installa sur le sofa pour reprendre haleine, sans trop oser regarder Bralle. Le sentiment qui dominait en lui maintenant était une grande honte, même si, en y réfléchissant posément, il conclut que vomir était une réaction tout à fait naturelle en la circonstance. Tout le monde aurait réagi de la sorte, se dit-il en avançant d'un pas mal assuré vers l'endroit où, selon son souvenir, étaient situées les toilettes.

L'opération terminée, et ayant, à son avis, suffisamment détérioré les indices que pouvait contenir la maison, il se dirigea vers la porte d'entrée pour retrouver Flavia. La porte était fermée à clé, mais si le verrou n'était pas tiré, il n'y avait pas la clé. La porte de derrière, elle, était fermée à clé et verrouillée. Il considéra cet état de fait, puis ouvrit la fenêtre de la salle à manger, leva la clenche des volets et sauta par terre.

Toujours assise sur sa pierre et méditant sur les injustices du sort, Flavia fut étonnée de le voir émerger de la maison et encore plus inquiète en remarquant son teint livide.

« Bralle est là, annonça-t-il en s'approchant. Il est mort.

— Un de plus ? fit-elle, quelque peu surprise, mais en réagissant avec davantage de calme que lui. Assassiné ou décédé de causes naturelles ? Il avait presque quatre-vingts ans, après tout.

— Où vas-tu ?

— Me rendre compte par moi-même, répondit-elle en se dirigeant d'un pas décidé vers la fenêtre.

— Je ne crois pas que ce soit une très bonne idée, protesta-t-il en lui emboîtant le pas, craignant, certes, qu'elle ne soit bouleversée par la vue du corps de Bralle mais également qu'elle ne découvre les conséquences de sa propre réaction. Tu as dit que tu n'aimais pas les cadavres. »

Il n'y eut pas moyen de la dissuader.

« Dieu ! quelle horrible odeur ! Où se trouve-t-il ? »

Argyll la conduisit jusqu'au bureau... Elle fronça les narines de dégoût, observa le corps avec attention et blêmit. Mais, comme à l'accoutumée, son système digestif tint mieux le coup que celui de son compagnon.

« Je sais ce que tu ressens, dit-il avec sympathie sur le seuil de la maison. Et maintenant, qu'est-ce qu'on fait ? »

Selon elle, il y avait deux, ou plutôt trois choses à faire. Argyll devait retourner au village pour avertir la police. Puis appeler Pierre Janet, l'*alter ego* parisien de Bottando, pour le mettre au courant des événements. En ce qui la concernait, elle resterait sur place pour faire sa petite enquête. Mais d'abord elle s'assit sur une pierre devant la maison afin de recouvrer ses esprits.

« Ça va ? » demanda Argyll avant de s'éloigner.

Elle secoua la tête en silence, puis se releva et fondit en larmes, le corps agité de gros sanglots lugubres. Cela faisait des jours qu'elle se colletait avec cette affaire, et chaque fois qu'elle avait le sentiment de faire des progrès, les choses lui échappaient. La découverte d'un nouveau cadavre tous les deux jours accroissait encore son désarroi en lui faisant prendre conscience du côté réellement déplaisant de son métier. L'effort pour garder un sang-froid de vraie professionnelle l'avait finalement brisée.

« Oh ! chère Flavia ! » s'exclama Argyll, complètement pris de court.

Il l'entoura de ses bras, l'étreignant pour la réconforter. Elle se blottit contre lui.

« Il m'arrive de penser, dit-elle en reprenant haleine entre deux sanglots, que je ne suis pas douée pour ce genre de travail. Je ne suis pas certaine d'être faite pour ça. »

Il la berça dans ses bras et lui caressa les cheveux, sans prononcer une seule parole mais très ému. S'il était habitué à ses accès de colère, cet aspect de son caractère le prenait au dépourvu.

« Peut-être… Mais tu es plus douée que moi. Au moins, tu n'as pas vomi. »

Elle éclata de rire, renifla et sanglota encore un peu.

« Après, on pourrait simplement rentrer à la maison et tout oublier, si tu veux », ajouta-t-il.

Elle se dégagea, extirpa un minuscule mouchoir de sa poche, souffla une dernière fois dedans et renifla bruyamment.

Elle secoua la tête avec force.

« Non. Vas-y ! Je suis désolée. Je vais juste serrer les dents et continuer mon enquête. »

Elle le regarda descendre la côte et disparaître. Puis, traînant les pieds et pas tout à fait remise, elle se força à pénétrer de nouveau dans la maison. Elle n'en avait pas du tout envie, d'autant plus qu'elle se rendait bien compte que c'était malséant et peu professionnel. En tant qu'Italienne, elle n'avait pas le droit d'observer ni de toucher quoi que ce soit concernant le meurtre d'un Français perpétré sur le sol français. Dans l'hypothèse où il s'agissait bien d'un meurtre, naturellement.

Là était, bien sûr, le problème. Les Français négligeraient tous les indices et seraient incapables de remarquer le moindre fait significatif, même s'il leur crevait les yeux. D'ordinaire, ça n'aurait pas été gênant : l'information leur serait parvenue tôt ou tard par l'intermédiaire de Janet. Mais elle n'oubliait pas l'obsédante présentation du budget et le fait que l'heure tournait. Bottando voulait que l'affaire soit résolue au plus vite et son emploi à elle dépendait de l'issue. La seule conduite logique à adopter était de flairer un peu partout avant que les autorités locales arguent de leur prééminence territoriale.

« Flairer » était hélas ! le terme adéquat. Elle calcula

qu'il restait environ quarante minutes avant que les policiers ne débarquent, mais seulement une dizaine avant qu'elle ne soit victime de violentes nausées. Prenant son courage à deux mains et se déplaçant avec mille précautions pour ne pas effacer ou laisser la moindre empreinte, elle entreprit la tâche peu ragoûtante de fouiller dans le bureau de Bralle. Il regorgeait de papiers mais ne contenait rien qui puisse l'intéresser, à part une lettre dans laquelle Bralle remerciait Jones College, une université du Massachusetts, d'avoir sollicité auprès de lui une recommandation pour James Miller tout en regrettant de ne pouvoir accéder à cette demande, vu qu'il était à la retraite. Il suggérait à cette université de s'adresser plutôt à Louise Masterson. Rien de nouveau là-dedans, mais, se ravisant, elle replia la lettre et la glissa dans son sac. On ne savait jamais.

Par terre, sous le bureau, elle trouva un agenda qui s'avéra plus instructif. Dans l'espace réservé au 3 octobre, « Saint-Gall » était inscrit d'une écriture en pattes de mouche de vieillard. Cela ne lui apprenait rien non plus, mais c'était bien d'avoir cette confirmation. Ce qu'il fallait encore déterminer, c'était le motif de la présence dans cette ville de Bralle et de Louise. La plupart des pages de l'agenda étaient vierges. Il était clair que Bralle menait une vie tranquille. Cependant, quatre jours après la première notation, on pouvait lire « Saint Antoine ». Il était vraiment très occupé ce petit saint… Il surgit à tout bout de champ dans cette affaire, se dit-elle.

Elle reposa l'agenda et examina le reste de la pièce.

Une rangée de fichiers métalliques verts couvrait tout un pan de mur ; une fois ouverts, il apparut que ces fichiers devaient contenir les notes et les écrits de toute une vie. Il y en avait une quantité phénoménale. Mais, si l'on passe soixante ans à ne faire pratiquement rien d'autre qu'écrire, le résultat ne peut être que conséquent. Elle jeta un coup d'œil dans le premier tiroir. Il renfermait des dizaines et des dizaines de fiches vertes, toutes minutieusement classées, ornées de petites étiquettes en haut qui en indiquaient sans doute la teneur. Elle les frôla du doigt ; il s'agissait presque uniquement de fiches concernant les peintres de la Renaissance italienne.

Elle examina les documents l'un après l'autre. Elle n'avait pas le temps de les lire, mais elle pouvait au moins jeter un coup d'œil aux titres. Cela fut une perte de temps. Même les fichiers contenant sa correspondance lui parurent affreusement ennuyeux et sans intérêt. Mais elle put au moins recueillir les originaux de la documentation que Bralle avait fournie à Benedetti. C'était un peu indélicat, mais ça pourrait servir à Argyll.

Elle en avait maintenant plus qu'assez. L'odeur la rendait vraiment malade ; alors qu'elle s'en serait accommodée dans le cas où ses recherches auraient abouti, cette puanteur était insupportable dans le cas contraire. Elle repassa par la fenêtre, respira à pleins poumons l'air vif et pur de la campagne pour se nettoyer les conduits, puis attendit le retour d'Argyll.

Quand il réapparut, soufflant et hoquetant à cause de la côte, il l'informa qu'il avait d'abord téléphoné à Janet et que le cher homme avait promis de prévenir

Bottando. Il avait également suggéré que Flavia raconte aux autorités du coin que c'était lui, Janet, qui lui avait permis de parler à Bralle. Autrement, lesdites autorités pourraient se formaliser et monter sur leurs grands chevaux. Elle devait le rappeler plus tard et il se déplacerait si c'était nécessaire. D'autre part, les policiers du lieu étaient en route.

En effet. Et ils leur gâchèrent les quelques heures suivantes. Ils avaient été extraordinairement excités à la pensée qu'un vrai meurtre avait enfin été commis sur leur territoire, mais une fois confrontés à la preuve concrète, leur enthousiasme faiblit. Un des policiers eut d'abord la même réaction qu'Argyll, mais à part ça, ils ne firent pas grand-chose pour se gagner la sympathie de leurs visiteurs, surtout lorsqu'ils affirmèrent que rien n'indiquait que le vieil homme ne fût pas mort de cause naturelle. C'est seulement lorsque Flavia se mit en colère et menaça d'appeler une nouvelle fois Janet qu'ils consentirent, en rechignant, à faire pratiquer une autopsie. Pour se venger, ils se montrèrent extrêmement désagréables à propos de la présence en France de l'Italienne.

Il y eut un va-et-vient de médecins ; le corps fut emporté en ambulance ; des photographes, ainsi que tous les autres personnages officiels liés à la mort, s'activèrent en tous sens, en se gardant bien de faire le moindre commentaire. Sauf lorsqu'on releva leurs empreintes digitales, on ne se préoccupa guère des deux jeunes gens et on finit par leur faire comprendre que leur présence était indésirable.

Flavia, qui ne s'était pas attendue à un meilleur accueil, prit son mal en patience et se vengea en leur en disant le moins possible sur le dossier dont elle s'occupait. Puisqu'ils ne voulaient pas l'aider, elle n'allait pas les aider non plus.

« Quel plaisir, remarqua Argyll, comme ils redescendaient péniblement la côte après leur renvoi, de voir la coopération internationale fonctionner avec une telle harmonie ! »

La remarque fut saluée par un grognement.

« Ramène-moi à Venise ! » ordonna Flavia.

12

Lorsqu'ils arrivèrent, affreusement tôt, le dimanche matin, Bottando était déjà revenu de Rome. Il était contrarié. Il manifesta sa mauvaise humeur en lâchant toute une série de petites allusions à la rigueur indispensable dans la police et en critiquant les personnes qui partent en vacances avec leur petit ami en plein milieu d'une enquête. Flavia s'excusa platement de ne pas l'avoir informé de leur petite escapade dans le midi de la France, tout en soulignant qu'ils avaient, cependant, découvert un autre décès. En outre, précisa-t-elle, Argyll n'était pas son petit ami.

« Mais vous n'êtes pas censée en découvrir de nouveaux, grommela-t-il, vous êtes censée vous occuper de ceux que nous possédons déjà en nombre suffisant ici même. Malgré tout, reconnut-il à contrecœur, c'est du fort bon travail, je suppose. L'ennui, c'est qu'à Rome ça a eu le don de mettre une fois encore dans tous leurs états les messieurs en costume. Ils veulent des résultats et le service est désormais tenu pour responsable. C'est nous qui trinquerons si on ne résout pas cette affaire, pas Bovolo.

— Est-ce que ça veut dire que le cas Masterson a été officiellement rouvert ?

— Oh non ! Ce n'est pas aussi simple que ça, répondit-il avec amertume. Tout ce qu'ils veulent, c'est une mise au net définitive dans laquelle les différents éléments s'emboîtent parfaitement. J'ai tenté de faire remarquer que les données en notre possession ne collent pas avec les conclusions de Bovolo, mais ça les a laissés de marbre. C'est le plus grave, à mon avis. Notre incapacité à tirer cette contradiction au clair révèle notre incompétence et renforce le pouvoir de ceux qui veulent nous mettre en pièces. »

Elle comprenait mieux son dépit désormais. Mais, ne sachant que faire ou dire pour lui remonter le moral, elle lui demanda s'il avait parlé à Janet.

« Ah ! oui. C'est la raison pour laquelle je suis là. En tout cas, on peut compter sur lui. Davantage que sur la police ardéchoise, je dois dire.

— Rien qui puisse nous aider ?

— Sauf qu'il s'agit bien d'un meurtre.

— Ça, on le savait déjà.

— Comme se fait-il que vous en soyez aussi sûrs ?

— Parce que Jonathan a remarqué que toutes les portes étaient fermées à clé et qu'il n'y avait aucune clé à l'intérieur. »

Argyll prit un air discrètement modeste.

« Je vois, dit Bottando. Bon, mais c'est bien aussi d'en avoir la confirmation officielle, j'imagine. Au cas où ce détail vous aurait en revanche échappé, il a été étouffé. Un oreiller sur le visage. Des peluches dans les narines, ou quelque chose comme ça. Je doute qu'en d'autres circonstances ils aient même pris la peine de pratiquer une autopsie, vu son grand âge. Le cœur n'allait pas fort, de toute façon, paraît-il. Mais votre obstination et l'intervention opportune de l'ami Janet les ont heureusement rendus un peu plus consciencieux.

» À part ça, pas grand-chose. Pas d'empreintes digitales, pas de témoins, rien de rien, comme ça semble être l'habitude dans cette affaire. Rien ne manque, rien ne cloche. Il a été tué le 7 octobre, à un jour près. N'est-ce pas merveilleux de précision ? conclut-il d'un ton ironique.

— Saint Antoine a encore frappé », déclara Flavia, un peu trop mystérieusement pour l'état délicat dans lequel se trouvait Bottando.

Il lui demanda de s'expliquer.

« Dans l'agenda de Bralle, il y a une inscription au 7 octobre qui dit simplement : "Saint Antoine". Je suppose qu'il s'occupait alors de ce tableau.

— Ou bien le saint lui-même est descendu du ciel, l'a étouffé puis est remonté au paradis. Intervention divine. C'est un miracle. Qu'en pensez-vous ? suggéra Argyll pour apporter sa contribution.

— C'est tentant comme explication, mais ça n'aurait pas l'air sérieux dans un rapport de police officiel, rétorqua Bottando avec impatience.

— Bon, en tout cas, on a fait quelques progrès, observa Flavia avec optimisme.

— Je suis ravi que vous le pensiez. Moi j'en suis moins sûr. Mais, réellement, en territoire étranger vous devriez vous abstenir d'entrer chez les gens par effraction, de subtiliser des preuves ou de disparaître sans préciser où vous allez. Heureusement que je suis là pour vous rappeler en quoi consiste le vrai travail de police.

— Alors, dites-nous ce que nous devons faire.

— M'imiter. J'ai examiné les indices avec méthode en suivant la procédure officielle de la police, déclara-t-il avec emphase.

— Sans aboutir à rien, comme d'habitude, je suppose ? »

Il parut vexé.

« En effet. Maintenant que vous le dites… Et vous, qu'avez-vous fait ?

— Ce que nous avons découvert, nous, avec notre méthode d'amateur, c'est ceci, répondit-elle d'un air supérieur : d'abord, le tableau de Milan est si authentique que Jonathan va l'acheter.

— Oh ! mon Dieu ! Et il sera volé dans moins d'une semaine.

— Maîtrisez-vous ! lança-t-elle d'un ton pincé, les choses ne vont pas aussi mal que ça ! Ensuite, Louise Masterson, Roberts, Kollmar et Bralle le savaient, mais tous, sauf Louise, semblaient bien se garder de le révéler. Louise a rencontré Bralle à Saint-Gall juste avant de venir à Venise. Enfin, l'agenda de Bralle suggère qu'il s'intéressait à son travail sur le cycle des tableaux de Padoue consacrés à saint Antoine. »

À son corps défendant, Bottando était impressionné, mais il était résolu à ne pas le montrer.

« C'est tout ?

— Il y a aussi la question de l'authentification », reprit Flavia.

Elle lui donna une brève explication au sujet de l'offre de Roberts à Benedetti.

« Ah ! comme j'aimerais que vous vous décidiez enfin tous les deux, gémit Bottando en se calant dans son fauteuil et en s'étirant. Avant on ne possédait aucun mobile, et maintenant on semble en avoir à revendre. Comme c'est pénible ! Bon ! j'ai l'impression qu'on va devoir se remettre au boulot. On dirait que dans cette affaire un crime en entraîne un autre. Trouvons l'assassin de Bralle et il est probable qu'on trouvera qui a zigouillé tous les autres. Et alors toutes les pièces du puzzle s'emboîteront. Va falloir revoir tous ces gens épouvantables... Dieu, que j'en ai marre de cette enquête !

— Avant que vous filiez, intervint Argyll, est-ce qu'on a, par hasard, avancé dans l'enquête sur mes tableaux ? Car maintenant ça vaut peut-être la peine d'avoir cet autoportrait...

— Non. On n'a fait aucun progrès. Je connais l'endroit où ils se trouvent, bien sûr, mais ça n'a rien à voir. »

Argyll parut à la fois stupéfait et plein d'espoir.

« Vous savez où ils sont ? Alors, où se trouvent-ils ? »

Bottando ricana.

« Ils ne peuvent être qu'à un endroit ! Venez ! dit-il en se remettant sur pied lentement. Au travail ! »

Les divers membres du comité encore en vie commençaient à ressentir le stress dû à leur implication dans une affaire de meurtre. Au début, ils avaient presque tous pris les interrogatoires d'assez haut et, à part Van Heteren, la mort de Louise Masterson n'avait pas semblé beaucoup les affecter. Mais maintenant que la Faucheuse s'était, pour ainsi dire, lancée dans une campagne de recrutement intensif, choisissant en particulier les historiens de l'art, ils devenaient manifestement de plus en plus nerveux.

Il commença par le corpulent Van Heteren. Tassé dans le minuscule fauteuil de son appartement miteux, il ne paraissait guère plus content de son sort qu'un peu plus tôt dans la semaine. En fait, il semblait plus mal en point et faisait peine à voir. C'était le seul pour qui Flavia éprouvait un peu de sympathie et Bottando, qui rencontrait ces personnes pour la première fois, comprenait pourquoi.

Il avait décidé de mener les entretiens lui-même afin de découvrir si un nouveau point de vue ajouterait quelque chose à ce qu'ils savaient déjà. Ce n'était pas qu'il ne fît pas confiance à Flavia, au contraire. Sa présence serait nécessaire pour lui servir d'interprète lorsqu'il interrogerait Miller, mais, pendant qu'elle allait étudier d'autres aspects du dossier, il était capable de se débrouiller tout seul avec Kollmar et Van Heteren.

« Je croyais que l'enquête était bouclée », dit ce dernier à l'arrivée de Bottando.

De forte corpulence tous les deux, dans ce minuscule appartement ils étaient presque obligés de rester coincés l'un contre l'autre.

« Alors pourquoi nous force-t-on à demeurer à Venise ? Je dois libérer l'appartement pour lundi au plus tard.

— Votre emploi du temps est donc si chargé ? »

Van Heteren fixa un regard intense sur Bottando, puis fit un pâle sourire.

« Je suis égoïste, n'est-ce pas ? C'est probablement vrai. Veuillez m'excuser. C'est minable de penser à son travail dans ce genre de circonstances. Mais j'en suis venu à détester cette ville et je doute que vous trouviez jamais qui a tué Louise.

— On doit s'occuper de plusieurs choses, souligna Bottando. Il y a Bralle, par exemple. »

Il expliqua les circonstances de la mort du vieil homme. La nouvelle bouleversa Van Heteren.

« Vous ne pensez pas quand même que l'un d'entre nous a tué ce bon vieux Georges ?

— Quelqu'un a tué ce bon vieux Georges. Alors pourquoi pas l'un d'entre vous ? Au fait, où vous trouviez-vous au moment de sa mort ? »

Avec une grande réticence, il déclara qu'il effectuait une randonnée pédestre dans les Alpes. Des vacances tardives. Oui, seul. Non, il ne pouvait pas prouver qu'il ne s'était pas rendu à Balazuc. Mais, non, il n'y était pas allé.

« Je vois. Dommage. Et le soir où Roberts est mort et où ces peintures ont été volées ? »

Il se trouvait chez lui. Seul. Il avait été trop triste et déprimé après le meurtre de Louise pour faire quoi que ce soit ou voir quiconque. Pas d'alibi, en d'autres termes.

« Ah bon ! fit Bottando d'une voix aussi neutre que possible. Vous me semblez être un homme très malheureux, professeur.

— Ça vous surprend ? rétorqua Van Heteren d'un ton acerbe. Ma maîtresse et meilleure amie est assassinée, deux collègues meurent et il est évident que vous pensez que l'un d'entre nous est coupable. Et vous avez raison, j'imagine. Je ne sais pas à quelle place je me trouve sur votre liste de suspects, mais je peux vous assurer que jamais, quoi qu'elle ait pu faire, je n'aurais touché à un cheveu de Louise. Vous me croyez ? »

Bottando haussa les épaules de manière évasive.

« Soyez raisonnable, dit-il. Vous ne pourriez guère dire autre chose. Mais si ça peut vous réconforter un peu, je ne crois pas que vous l'ayez tuée. Content ? »

Van Heteren hocha la tête, à peine rassuré, et Bottando poursuivit.

« Est-ce que vous saviez que Louise Masterson s'intéressait à un tableau appartenant à la marquise di Mulino ?

— Vaguement », répondit-il.

Il avait bavardé avec elle à la réception donnée par Lorenzo l'année précédente. C'était au moment où ils étaient le plus proches, avait-il cru alors. Elle avait

250

désigné un tableau d'un air badin, un portrait, et lui avait demandé son opinion. Il avait répondu que le tableau lui paraissait dénué de tout intérêt et elle avait ri.

« Et alors ? souffla Bottando.

— Et alors, rien. Rien de plus. On était déjà un peu ivres. C'était une réception réussie. Lorenzo sait recevoir. Mets fins, musique, boissons à profusion, décor merveilleux. Elle a passé beaucoup de temps à regarder le tableau et finalement, en chancelant un peu, elle a déclaré que c'était un visage intéressant – n'était-ce pas mon avis ? L'homme n'était pas sympathique, mais intéressant. Je lui ai dit que c'était là un commentaire de vraie spécialiste. Elle a ensuite ajouté qu'il y avait du travail à faire sur le tableau.

— Que voulait-elle dire ?

— Qu'il y avait un travail important de nettoyage et de restauration à effectuer dessus, je suppose. Il était très sale et en mauvais état. Quoi qu'il en soit, elle s'est mise à glousser et a proposé qu'on aille dans sa chambre pour fêter la finesse de son jugement. Sitôt dit, sitôt fait. Elle était d'excellente humeur, je ne l'avais sans doute jamais vue aussi joyeuse », conclut-il.

Visiblement, le souvenir lui faisait mal.

« Vous avez indiqué à ma collaboratrice que Louise Masterson allait écrire une lettre de recommandation pour le Pr Miller ? »

Il hocha la tête.

« Savez-vous si elle avait signalé le fait à quelqu'un d'autre ?

— Je suis certain que non. Si j'étais au courant, c'est

251

seulement parce que j'en avais vu un brouillon sur son bureau. D'ailleurs elle avait insisté pour que je n'en parle à personne. Elle m'a dit qu'elle se sentait obligée de donner un avis favorable, mais, fichtre, elle ne voyait pas pourquoi ça aurait dû se savoir. Elle ne souhaitait pas qu'on l'accuse d'avoir permis à quelqu'un d'aussi barbant que Miller d'être titularisé. Je trouve qu'elle aurait dû écrire ce qu'elle pensait vraiment, mais elle était trop gentille pour ça. »

Bottando opina doctement du bonnet. Louise Masterson avait-elle fait une allusion à sa rencontre avec Bralle en Suisse ? Parlé de son voyage à Milan ? À Padoue ? Les réponses à ces questions furent négatives. Van Heteren ignorait totalement qu'elle avait tant voyagé pendant ses tout derniers jours. Peut-être n'y avait-il rien de surprenant à ça. Elle était toujours très occupée. C'était ça le problème.

Il se débarrassa tout aussi vite de James Miller, mais lui non plus n'apporta pas grand-chose de concret susceptible de faire progresser l'enquête. Il était en train de bouchonner ses cheveux mouillés avec une serviette. Il venait de nager, expliqua-t-il. Il précisa qu'il nageait chaque jour.

Bottando examina attentivement la chambre tout en bavardant dans un anglo-italien hésitant, jusqu'à l'arrivée de Flavia, apparemment fort contente d'elle. Miller parlait étrangement mal la langue du pays pour quelqu'un qui avait passé tant d'années à étudier l'art italien. À l'évidence ce n'était pas lui qui avait répondu à la Pianta le jour du meurtre de Louise Masterson.

Bottando lui ayant demandé combien de temps il comptait rester à Venise, l'Américain lui répondit qu'il n'avait pas une minute à perdre et qu'il souhaitait rentrer au pays le plus vite possible. Il avait déjà beaucoup tardé et les événements de la semaine écoulée ne l'aideraient pas à gagner la bataille qui l'attendait pour obtenir sa titularisation. L'angoisse semblait à deux doigts de le rendre à demi fou, et il échoua lamentablement dans ses efforts pour paraître prendre la chose à la légère. Flavia souleva la question de la lettre de recommandation ; cela avait l'air d'être important aux yeux de la jeune femme. Il répondit d'un ton bourru qu'il pouvait fort bien imaginer la teneur de la lettre de Louise.

« C'est-à-dire ? demanda Flavia.

— Eh bien, jeudi, nous avions eu un petit désaccord. Je pense qu'il faut que vous le sachiez. Je lui avais dit que j'espérais qu'elle allait ménager le pauvre Kollmar. J'essayais de la faire profiter de mon expérience. Se mettre les gens à dos n'est pas la meilleure façon d'obtenir ce que l'on désire.

— Et ça ne lui a pas plu ? »

Elle pouvait imaginer la scène : Miller lui donnant son avis d'un ton de plus en plus condescendant tandis que Louise bouillait intérieurement. L'Américaine n'était pas du genre à accepter aisément cette sorte de conseil.

« Non, de toute évidence, si on considère la manière cavalière dont elle a décliné le lendemain son invitation à boire un verre. En fait, elle s'est mise en rogne, déclarant qu'elle en avait par-dessus la tête de tous ces gens qui faisaient une montagne d'un rien et que, nom d'un chien ! elle aimerait bien que les gens ne soient pas si susceptibles. Et quant à moi, je ferais beaucoup mieux de me concentrer davantage sur mon travail et de passer moins de temps à lécher les bottes de mes supérieurs hiérarchiques.

— À quoi faisait-elle allusion ?

— À ma titularisation, une fois de plus. D'après elle, je n'avais pas assez publié.

— C'est vrai ? »

Il secoua la tête.

« À mon avis, l'*Encyclopaedia Britannica* n'aurait pas suffi à satisfaire Louise. Mais, comme je le lui avais annoncé, je suis sur le point de publier un important article. Et je lui en avais donné une copie.

» C'est drôle, n'est-ce pas ? poursuivit-il avec une amertume qui trahissait un égocentrisme presque gênant, je suis devenu membre de ce comité parce que je croyais que ça aiderait ma carrière. Et maintenant, au moment crucial, tout s'effondre : le comité est impliqué dans un scandale et je perds mes deux parrains. Le décès de Louise n'arrangeait déjà pas les choses, même s'il est difficile d'imaginer qu'elle se serait montrée généreuse à mon égard, mais que Roberts meure lui aussi, c'est vraiment trop horrible. Je ne vois pas comment à présent beaucoup d'autres se bousculeraient pour m'offrir leurs services, hein ? Le taux de mortalité est trop élevé. »

Bottando intervint alors pour ramener la conversation vers des sujets d'un intérêt plus immédiat. Le temps pressait. Miller montra son passeport et ses billets d'avion pour prouver qu'il était en Grèce au moment du décès de Georges Bralle, affirmant ne pas avoir vu le vieil homme depuis près de trois ans. Ses alibis pour le soir de la mort de Louise Masterson et de celle de Roberts étaient tout aussi crédibles et solides.

« Eh bien ? demanda Bottando à Flavia, comme ils regagnaient la sortie. Vous avez eu la main heureuse ?

— Je crois, répondit-elle. L'eau de la fuite a coulé à peu près jusque-là, ajouta-t-elle en désignant le bout du couloir. J'ai parlé à l'intendant du bâtiment. Le toit est en parfait état. Bien plus important, il m'a fait remarquer, et j'aurais dû m'en souvenir moi-même, que lorsque je suis allée faire du bateau avec Jonathan, il y a deux jours, c'était la première fois qu'il pleuvait depuis trois semaines. »

Bottando lui rendit son sourire.

« Vous savez, dit-il, comme ils se dirigeaient vers l'arrêt du vaporetto, je commence à penser qu'avec un peu de chance il se peut qu'on garde notre boulot, en fin de compte. »

Sa visite ne fit pas davantage plaisir au Pr Kollmar, mais dorénavant Bottando était habitué à ce genre d'accueil. Si l'Allemand avait été mal à l'aise lors de son entretien avec Flavia, cette fois-là, lorsqu'il entra dans la pièce et s'assit sur une chaise, il avait visiblement les nerfs à fleur de peau.

« Je suppose que vous pensez que je l'ai tuée à cause de ce tableau, lança-t-il d'un ton à la fois sombre et agressif, peu propice à éveiller la sympathie de Bottando.

— La pensée m'avait effleuré. C'est ce qui s'est passé ?

— Bien sûr que non ! répliqua Kollmar avec une énergie inhabituelle. Quelle idée grotesque !

— J'ai lu votre rapport. D'une part, Roberts pensait que le tableau était authentique et, d'autre part, il existait des documents probants, mais vous n'avez tenu compte ni de son avis ni des preuves. Pourquoi ? »

Son étonnement parut sincère.

« Comment ? Vous faites erreur sur les deux points. Le Pr Roberts n'a jamais rien dit de tel et les documents que j'ai trouvés au cours de mes recherches dans les archives n'ont rien produit de concluant.

— Et que faites-vous des recherches des autres ? Comme celles du Pr Bralle ?

— Je ne vois pas de quoi vous parlez, répondit Kollmar d'un ton guindé. Bralle était à la retraite, et s'il avait une opinion sur ce tableau, il ne m'en a jamais fait part. Je vous suggère de vous cantonner à votre travail de policier et de cesser de m'expliquer comment je dois faire mon…

— À combien s'élevait votre pourcentage, professeur ? » demanda Bottando à brûle-pourpoint.

Kollmar sembla une nouvelle fois déconcerté.

« Je vous demande pardon ?

— Votre pourcentage. Vous savez bien… »

Il y eut un long silence, puis Kollmar répondit avec hauteur :

« Si vous êtes en train de suggérer ce à quoi je pense, je dois vous affirmer que c'est odieux et scandaleux. Comment osez-vous seulement penser que… ?

— D'accord, d'accord. Je n'aurais pas dû… Mais croyiez-vous réellement qu'il s'agissait d'un faux ? »

Il se tordit les mains en un geste qui trahissait une certaine inquiétude, puis gémit :

« On pouvait beaucoup hésiter…

— Alors pourquoi ne l'avez-vous pas dit ?

— Parce que j'ai trouvé plus sûr de suivre l'avis du Pr Roberts. En l'absence de documents probants, tout dépend de l'analyse du style. C'était son domaine, pas le mien. »

Raide sur sa chaise, l'air pincé, les genoux serrés l'un contre l'autre, il donnait l'impression de réprimer une immense colère. Tout signe de l'anxiété du début avait disparu pendant l'interrogatoire. Bottando soupira et s'efforça de le ramener délicatement vers une attitude de plus grande coopération. Il n'y réussit qu'à moitié.

« La Fenice… », commença-t-il.

Kollmar poussa un grognement de lassitude.

« Combien de fois faut-il que je vous le répète. Je suis allé à l'Opéra. Je suis resté dans la salle avec Roberts et ma femme pendant tout le spectacle.

— Le premier élément de votre alibi n'est plus en vie.

257

Le second fait partie de votre famille. Ça n'a aucune valeur, professeur. »

Très digne, Kollmar resta silencieux.

« Très bien ! La nuit où Roberts est mort… Où vous trouviez-vous ?

— Je vous l'ai déjà dit cent fois. J'ai apporté un pli chez lui et je suis rentré à la maison. J'ai donné à manger aux enfants, puis j'ai essayé de travailler un peu.

— Seul ?

— Oui, seul.

— Je vois. Une dernière question : quand vous avez proposé à Louise de boire un verre, était-ce sur l'île ou bien sur le bateau qui la quittait ?

— Sur le bateau. Vous pouvez le demander à Miller, il a tout entendu.

— Merci, professeur. Ça sera tout pour aujourd'hui. »

Ça suffisait pour la matinée. Il avait la migraine. Les faits et les hypothèses se bousculaient dans sa tête, se rejoignant presque mais sans y parvenir parfaitement. Bottando passa de la maison lugubre à la rue qui l'était encore plus. Il pleuvait des cordes désormais, comme l'ancien gondolier l'avait annoncé à Flavia. Il regarda le ciel gris et couvert, se drapa dans ses vêtements pour se protéger des violentes rafales du vent soufflant de la lagune, puis se précipita en courant vers le quai. Il était en retard et l'entretien avec Kollmar avait empiété sur son heure de déjeuner. Il lui faudrait carrément sauter le repas s'il voulait arriver à temps pour son entrevue avec

Bovolo. Quelle barbe ! S'il y avait une chose dont il avait horreur, c'était de se priver de déjeuner. '

Requinqué par la perspective de récupérer ses tableaux, Argyll fut, lui aussi, fort occupé toute la matinée. Il téléphona à Byrnes, à Londres, pour lui demander de se livrer à une petite enquête concernant les Titiens apparus sur le marché ces dernières années. Combien en avaient été vendus pourvus de certificats d'attribution flambant neufs ? Puis il raconta sa petite excursion dans ce même domaine. Quelque peu amadoué par l'idée qu'Argyll allait enfin mériter son salaire, Byrnes accepta de faire de discrètes recherches et de le rappeler.

Laissant dorénavant l'enquête policière à la police, Argyll se consacra à l'identification de l'auteur du tableau de la marquise. Il était possible, après tout, que ce tableau eût un lien avec le meurtre de Louise et, de plus, Bottando semblait certain de pouvoir le récupérer. Puisqu'il n'était pas exclu qu'il en devienne bientôt le propriétaire, Argyll jugeait qu'il serait peut-être intéressant de savoir ce qu'il achetait.

Savoir ce qu'on cherche, cependant, n'est pas la même chose que le trouver, et à cet égard il ne faisait guère de progrès. Il avait tour à tour dérobé les notes de Louise, récupéré ses photocopies à la bibliothèque et confisqué temporairement ses livres sur les rayonnages de sa chambre. Il avait espéré que de cet ensemble allait émerger quelque chose de tout à fait probant, mais il devait bien admettre qu'il n'existait pas, pour le moment, l'ombre d'une solution en vue. Giorgione, Titien, et le peu sympathique Pietro Luzzi… À l'évidence, ces trois-là formaient un petit trio, et il était tout aussi manifeste que Louise savait de quelle façon ils étaient liés. Il commençait à se rendre compte qu'elle était bien plus maligne que lui.

« Bon ! Qu'as-tu appris ? » lui demanda Flavia une fois qu'elle l'eut rejoint pour le déjeuner que Bottando était forcé de sauter.

Il prit un air grognon.

« Eh bien ! Pas grand-chose, en fait. Je sais que le portrait est celui d'un peintre d'une trentaine d'années et que Titien l'a représenté dans sa série de Padoue et dans l'esquisse de Milan. C'est à peu près tout.

— Soit. Alors, conseilla-t-elle pour l'aider, trouve le nom de tous les copains de Titien et le tour est joué. Après tout, représenter ses amis dans des tableaux religieux était une pratique assez courante à l'époque. Tu as dit que Titien y avait fourré feu sa maîtresse, alors pourquoi pas d'autres également ? »

Argyll la fixa du regard.

« Redis ça… », fit-il.

Elle s'exécuta : « J'ai dit que tu m'avais dit…

— C'était une simple figure de rhétorique, répliqua-t-il avec vivacité, en se levant et en brossant les miettes de ses vêtements. Même si c'est agréable à réentendre. Ah ! peut-on être bête, bête, bête à ce point ?

— J'espère que c'est de toi que tu parles ?

— Bien sûr ! De qui d'autre ? Maîtresse, ha ! il est

260

possible que je sois la personne la plus bornée que tu aies jamais connue. »

Sur ce point, elle avait en général tendance à être d'accord, mais, cette fois-ci, elle ne releva pas la remarque.

« De quoi parles-tu ? »

Au comble de l'enthousiasme, il faisait des bonds de cabri.

« Tableau représentant l'assassinat par son amant de Violante di Modena pour cause d'infidélité. Qui d'autre était son amant, mis à part, peut-être, Titien ? Et qui, par conséquent, a peint l'autoportrait appartenant à la marquise ? Et pourquoi Louise s'y intéressait-elle tant ?

— Oh ! mon Dieu ! fit Flavia, qui commençait à entrevoir la réponse. Reviens ici ! je veux qu'on en parle...

— Pas le temps ! s'écria-t-il, ne se tenant plus de joie. J'ai du pain sur la planche. »

Il se pencha pour l'embrasser sur le front, puis, au cas où c'eût été un geste trop familier en public, il lui tapota la tête pour faire passer sa témérité.

« Au boulot ! Tu es une femme merveilleuse, et tu perds ton temps dans la police. Mille mercis... À tout à l'heure ! »

Après avoir été une source d'inspiration pour Argyll, Flavia termina son déjeuner et se força à sortir et à affronter un temps qui ne cessait de se détériorer. Elle se dirigea vers la demeure de Lorenzo. À ses yeux, les choses étaient relativement simples. Ils savaient ce qui s'était passé. Le problème maintenant était de déterminer l'enchaînement des événements pour en saisir le sens. Les meurtres se succédaient, probablement selon un ordre logique, lequel restait à déterminer. Après tout, l'assassinat était une activité grave dans laquelle on ne se lançait pas sans une très bonne raison.

« Ah oui ! je savais que ma tante allait vendre quelques tableaux, répondit Lorenzo, une fois qu'on eut fait entrer la visiteuse et que celle-ci se fut séchée et installée dans un fauteuil. Mais je ne savais pas exactement lesquels. La seule chose qui m'importait, c'était qu'elle ne vende pas deux dessins de Watteau qui m'ont toujours été très chers. Comme elle m'avait assuré qu'il ne s'agissait pas de ceux-là, je ne me suis guère préoccupé des peintures qu'elle souhaitait vendre et j'ai donné mon autorisation.

— Et ils n'ont pas de valeur, vous en êtes certain ?

— Absolument. Ils ne valent pas grand-chose. Aucun risque qu'un Michel-Ange ne sorte subrepticement du pays, vous pouvez être tranquille. »

Il paraissait très à l'aise et elle prit le parti de ne pas lui faire regretter sa décision.

« Vous vous entendez bien avec votre tante ?

— Non, pas très bien. Nous nous tolérons, comme c'est normal entre tante et neveu. Mais je dois avouer que je l'aime plutôt, cette vieille taupe. Elle, hélas ! ne me porte pas dans son cœur.

— Pourquoi donc ?

— Aucune idée, vraiment. Évidemment, elle n'aime

pas me consulter sur les questions d'argent. Ça nuit à son image de chef de famille et elle a été furieuse de découvrir que mon oncle avait rédigé son testament en ma faveur. Je pense être toujours absolument charmant et je m'efforce constamment de lui plaire, mais elle me trouve trop frivole, semble-t-il. Je suis un play-boy… Elle adore les termes vieux jeu. Dieu seul sait à quelles activités elle croit que je m'adonne ! Je suis à peu près certain que ma vie n'est pas aussi scandaleuse – tant s'en faut ! – que la sienne jadis. »

S'il nourrissait une forte animosité contre la vieille dame, il le dissimulait bien ; il paraissait même ressentir à son égard une indulgente affection.

« Et la signora Pianta ? »

Il roula les yeux.

« Ouille ! Le dragon !… Je la connais depuis le jour où elle s'est installée chez ma tante, il y a un quart de siècle. Elle était venue passer une semaine et elle est encore là. Mais c'est une pauvre femme, au propre comme au figuré, et, dans la mesure du possible, je suis toujours courtois avec elle.

— Où vous trouviez-vous le soir où Roberts est mort et où les tableaux de votre tante ont été volés ? »

Ça valait le coup d'essayer ; il pouvait toujours se contredire.

Il lui décocha un radieux sourire.

« Ce n'est pas là-dessus que vous me ferez chuter ! J'assistais à une réunion à l'Académie. À l'heure en question, je faisais un discours – concis mais, si je puis me permettre, plutôt amusant – devant environ cent cinquante personnes. Je vais vous donner le numéro du musée, ajouta-t-il, et dès l'ouverture, demain matin, on pourra vous fournir le nom de plusieurs dizaines de personnes qui seront à même de confirmer l'endroit où je me trouvais jusqu'à minuit. »

Il parlait avec une telle assurance que Flavia comprit que son alibi était en béton. Il n'avait manifestement pas expédié Roberts dans l'autre monde, mais, en se dépêchant, il aurait eu tout juste le temps d'embarquer les petits trésors de la marquise. Il avait pu également charger quelqu'un de la besogne. Quoi d'autre ? Une dernière question : « La réception donnée chez votre tante, l'année dernière, c'était en quel honneur ? »

Il haussa les épaules, l'air plutôt surpris par une interrogation dont, semblait-il, il ne voyait pas la raison.

« C'était en partie pour fêter la nomination de Louise au comité et en partie pour célébrer joyeusement l'ouverture des coffres de l'État. L'heureux contribuable régalait. Et, bien sûr, en partie pour me poser aux yeux de mes collègues comme président du comité.

— Ce qui, si je comprends bien, n'a pas eu du tout l'heur de plaire au Pr Roberts. »

Lorenzo fit à nouveau un sourire aimable.

« C'est affreux de dire du mal des morts, mais vous avez raison, naturellement. Je ne crains pas d'affirmer que ce pauvre Roberts perdait la main. Quant à la réception, ça a été un franc succès. À telle enseigne que j'allais en organiser une autre, samedi dernier, avec des fleurs en provenance des serres des Giardinetti Reali. C'est Louise qui les avait choisies. Elle voulait surtout des lis.

Je ne sais pas pourquoi. D'après elle, ça avait un rapport avec son travail.

— Pourquoi, à votre avis, était-elle si convaincue que Kollmar se trompait à propos du tableau de Milan ? demanda-t-elle, vaguement consciente qu'il existait une série de liens à moitié formés et en attente d'un chaînon manquant.

— Vous bûchez toujours la question, hein ? Je n'en sais rien. De quoi s'agissait-il, selon elle ?

— D'une esquisse pour le troisième panneau abandonné de la série de saint Antoine à Padoue, répondit Flavia.

— Tiens ! Fort intéressant. Je dois avouer que je n'ai pas étudié la question de très près. J'ai séché la réunion ; je devais être à Rome ce jour-là, et ce n'est pas un drame de ne pas entendre un rapport de Kollmar. C'est un homme consciencieux et appliqué, mais il n'est pas, disons, le plus dynamique des chercheurs. Quant à Louise, je suppose qu'elle a dû trouver dans le tableau des indices de la présence de saint Antoine, quelque chose dans l'intrigue, ne serait-ce qu'un détail, qu'elle a pu relier à un épisode de la vie du saint…

— C'est possible, en effet, renchérit Flavia qui lui parla du miracle en question.

— Ce n'est pas suffisant, expliqua Lorenzo. Empêcher quelqu'un d'être empoisonné ou assassiné est un épisode habituel de la vie des saints. Qu'y avait-il d'autre dans le tableau ? »

Flavia se concentra, regrettant de ne pas avoir de photo sur elle pour rafraîchir ses souvenirs. Argyll avait une mémoire beaucoup plus visuelle qu'elle. Mais elle fit de son mieux.

« Un homme assis à table, en train de manger, au milieu d'autres convives. Des anges voletant tout autour. Un crucifix accroché au mur. Des fleurs sur la table.

— Des lis ? »

Flavia leva les yeux et fixa son interlocuteur. La lumière était sur le point de jaillir. À l'évidence, son inconscient était plus compétent qu'elle.

« Pourquoi dites-vous ça ?

— C'est le symbole de saint Antoine, répondit-il simplement. Des lis et un crucifix. La pureté du corps et l'amour de Dieu. D'ordinaire, accompagnés de l'inscription : *Homo igit consutut atque nudat queso ubi est*. Livre de Job. "Un homme meurt et disparaît, un homme arrive au terme de sa vie, et où se trouve-t-il ? » Il se tut. « Vous semblez surprise… Mais je suis sûr de ne pas me tromper. Je peux vérifier si vous le désirez.

— Non, répondit-elle d'un air pensif. Non, c'est inutile. Vous avez raison. Merci. Votre aide m'a été très précieuse. »

13

De mauvaises nouvelles, ou, disons, des informations désagréables l'attendaient quand elle rentra au *Danieli* à quatre heures. Elles se présentèrent sous la forme d'un Bottando contrarié en train, à cette heure tardive, de manger un plat de pâtes d'un air de profonde mélancolie. D'un geste, il l'invita à s'asseoir et finit son assiette sans dire un mot.

« Des ennuis, fit-il d'un air sombre avant qu'elle n'ose ouvrir la bouche. Ce Bovolo commence à me porter sur les nerfs. »

Il expliqua que son entrevue avec le Vénitien n'avait pas été très amusante. Bovolo s'était lancé dans des récriminations contre ces Romains qui se mêlaient de ce qui ne les regardait pas et avait annoncé des mesures draconiennes – c'était le terme utilisé par cet imbécile, affirma le général à sa collaboratrice – pour empêcher qu'on ne sape sa position.

« Qu'est-ce que ça veut dire ?

— Ça veut dire, ma chère petite, qu'il ne vous aime

267

pas. Ni moi non plus, d'ailleurs. Il pense que nous avons trop fourré notre nez dans son enquête criminelle au lieu de nous cantonner dans la recherche des tableaux de la marquise. Qu'étant donné que nous fréquentons le principal suspect – c'est-à-dire Argyll – notre – il veut dire votre – objectivité est gravement compromise. Que nous avons fait montre d'une remarquable incompétence dans la résolution d'une simple affaire de vol alors qu'il a, lui, bouclé en quelques jours un dossier complexe concernant un meurtre. Et il a écrit des lettres virulentes à des tas de gens pour nous mettre plus bas que terre. Résultat, la police de Rome m'a fait de violents reproches à propos de mon manque de tact et les ministères de la Défense et de l'Intérieur ont ajouté leur grain de sel. Nous ne sommes pas en odeur de sainteté et vous savez ce que ça veut dire.

— Oh ! grands dieux ! Qu'est-ce qui a déclenché tout ça ?

— Bovolo se fait du mouron, voilà la cause. Il a pris trop de raccourcis et il a amené le juge d'instruction du coin à déclarer officiellement que Roberts n'a pas été assassiné. Et nous, nous essayons de prouver qu'il l'a été. Si nous y parvenons, ça le fera passer pour un idiot. La marquise fait pression sur lui pour qu'il retire le garde de chez elle. Il veut en finir le plus vite possible avec cette histoire afin de pouvoir s'attribuer le succès de l'opération, tant que c'est encore possible, avant que les choses ne se gâtent pour lui et que ses chances de promotion ne s'évaporent. Et il y a pas mal d'autorités du cru qui commencent à se rallier à son point de vue.

— Alors, qu'est-ce qu'on fait ? »

Il se frotta le menton d'un air pensif.

« Pas facile, hein ? Si on trouve un assassin, on est dans le pétrin. Si on n'en trouve pas, on est aussi dans le pétrin. Le problème n'est pas Bovolo : lui, je peux m'en charger ; c'est le juge d'instruction du coin, car il a de l'entregent et de l'influence. C'est là où le bât blesse. Si on arrive à les séparer, on s'en tirera. Mais si on suggère que le bureau du juge a aidé à camoufler le meurtre de Roberts, alors il y aura une lutte sans merci. On gagnera peut-être, mais pas en temps voulu pour sauver le service.

» Quoi qu'il arrive, il nous faut liquider cette ridicule enquête. Autrement, on risque de se retrouver tous au chômage. Alors, rassurez-moi ! Dites-moi qu'il n'y a plus de mystère !

— Désolée. Impossible. On y est presque, mais il manque encore un élément ou deux. »

Elle relata ce que Lorenzo avait expliqué à propos des lis.

Bottando poussa un grognement.

« Mais… ?

— Je sais. C'est embêtant, n'est-ce pas ? »

Il poussa un nouveau grognement.

« Eh bien voilà, à tout le moins, un nouvel élément en place. Le mystère de la chute de Roberts dans le canal est, en tout cas, résolu.

— En effet. Ça n'explique pas le reste, cependant. »

Bottando soupira et Flavia pensa que ce serait une bonne idée de changer de sujet.

269

« Vous avez vu Jonathan ? »

Il jeta un coup d'œil à sa montre.

« Il devrait déjà être là. Il a téléphoné pour annoncer sa venue. Mais il n'a jamais été à l'heure jusqu'à présent, et je ne vois pas pourquoi ça changerait aujourd'hui. C'est un autre trait que vous avez en commun… Comment ça va entre vous deux en ce moment, hein ? »

Elle n'eut pas à lancer sa réplique acerbe sur les gens qui se mêlaient de ce qui ne les regardait pas, car l'objet de leur discussion fit son apparition. Il était d'une insolite bonne humeur.

« Salut ! Bonjour ! lança-t-il d'un ton joyeux en s'asseyant à leur table. Qu'est-ce qui ne va pas ? La journée s'est mal passée ? »

Ils le mirent au courant, mais le récit de leurs problèmes de travail n'eut guère d'effet sur son moral.

« Ça passera ! affirma-t-il, sans accorder la moindre importance à leurs ennuis. Vous voulez que je vous dise ce que j'ai trouvé ?

— D'accord, du moment que ce n'est pas que Roberts est l'assassin de Louise Masterson. »

La réplique le refroidit.

« Ah ! fit-il. Pourquoi dites-vous ça ?

— Parce que ce n'est pas lui.

— Vous en êtes sûr ?

— Oui. Pourquoi ?

— Eh bien, parce que, en plus de faire efficacement mon travail, j'ai aussi passé pour vous tout un après-midi au téléphone. Vous pourrez me remercier plus tard. J'ai d'abord téléphoné à Byrnes. Cinq Titiens ont été mis en

270

vente pendant cette dernière décennie. Et deux d'entre eux ont été authentifiés par le comité après la vente. Tous les deux durant ces quatre dernières années.

— Et alors ?

— Vous voulez essayer de deviner où habitaient les propriétaires ?

— Non. On donne notre langue au chat. Ça ira plus vite.

— L'un des deux vit à Saint-Gall et l'autre à Padoue. Qu'est-ce que vous dites de ça ? »

Ils étaient désormais tout ouïe, ça c'était clair.

« J'ai une énorme note de téléphone, reprit-il. J'espère que c'est vous qui allez la régler. Je me suis entretenu avec les propriétaires. Aucun des deux n'a rencontré Louise, mais le Suisse a confirmé qu'il avait parlé à Bralle à propos de l'accord concernant l'authentification. Bralle a vertement critiqué cet arrangement. À Padoue, Louise a remis une lettre de la part de Bralle dans laquelle celui-ci s'enquérait une nouvelle fois de la vente. Le Padouan me l'envoie.

» Or, la question, poursuivit-il avec allégresse, est de savoir qui a écrit les rapports sur les tableaux. Et qui a, à titre personnel, rédigé un certificat d'authentification, en échange d'un pourcentage sur le prix de vente, lequel a atteint un total de deux cent quatre-vingt mille dollars ? »

Il tendit son carnet, dans lequel il avait élaboré un graphique minutieux des habitudes de travail du comité et de la distribution des tâches, en regard des tableaux étudiés et authentifiés.

271

Le cerveau de Flavia n'arrêtait pas de faire tilt chaque fois qu'un nouvel élément prenait sa place dans le puzzle et qu'elle tirait conclusion sur conclusion. Certaines étaient agaçantes, parce qu'elles sautaient aux yeux. D'autres étaient déprimantes. Finalement, elle s'adressa à Bottando :

« Général, je pense qu'il faudrait qu'on en discute.

— Je crois que M. Argyll a quelque chose à nous dire, répondit Bottando avec calme.

— C'est vrai. C'est très important. Au sujet du tableau de la marquise.

— On n'a pas le temps maintenant. On pourra fêter ça plus tard. Sauf si ce renseignement nous en apprend davantage sur l'identité de l'assassin. C'est le cas ?

— Eh bien non. Pas là-dessus.

— Alors, ça devra attendre... Jonathan, va appeler tous ces gens ! »

Elle griffonna une liste de noms au dos d'un menu et la lui tendit.

« Et dis-leur qu'il est très important qu'ils assistent à une réunion sur l'Isola di San Giorgio. Disons, à vingt et une heures.

— Tu crois que c'est une bonne idée ? L'eau a affreusement monté. Ça déborde déjà à plusieurs endroits.

— On n'a pas le choix. Il ne nous reste plus beaucoup de temps », répondit-elle d'un ton vif.

Pensif, Bottando la regardait prendre la situation en main et donner des ordres. D'habitude c'était son rôle, croyait-il, mais on ne pouvait nier qu'elle se débrouillait fort bien. En fait, il craignait terriblement de comprendre ce qu'elle avait en tête. Et elle l'accusait, lui, d'être un politicien...

La liste serrée dans la main, Argyll disparut en direction des téléphones. L'œil pétillant – ce qui confirma son intuition –, Flavia se tourna vers son patron.

« Général, commença-t-elle de sa voix la plus persuasive, êtes-vous prêt à faire une ou deux entorses au règlement ? Pas davantage, vous comprenez... Et rien que des petites, afin de sauver le service ? »

14

La pluie et le vent s'étaient désormais étroitement alliés et, aidée par la marée, la tempête élevait le niveau de la lagune. De gros nuages noirs et bas couvrant aussi le ciel, Venise ne ressemblait plus du tout à un paradis pour touristes. Même les mouettes avaient disparu : elles s'étaient, à l'évidence, envolées vers d'autres cieux en attendant que le temps redevienne plus clément. Le samedi, la mer était montée plus haut que d'habitude ; le dimanche matin, l'eau clapotait contre la berge et des rafales de vent particulièrement violentes aspergeaient d'embruns les pavés de la place Saint-Marc. Avant l'heure du déjeuner, le pire était déjà arrivé et, en dépit de tous les efforts déployés par les autorités locales pour répartir leur stock limité de sacs de sable, l'ennemi avait investi les lieux. Les plus optimistes se disaient à peu près certains que Venise n'était pas sur le point de subir une épreuve aussi traumatisante qu'en 1966, lorsque toute la ville s'était retrouvée sous plusieurs mètres d'eau, mais il y aurait d'inévitables dégâts.

Il devenait en outre de plus en plus difficile de se déplacer dans la ville inondée. Les débarcadères flottants des vaporetti, arrimés aux bords des canaux par de grosses cordes, montaient avec le niveau des eaux. Les bateaux restaient en service, mais pour combien de temps encore, personne n'en savait rien. L'ennui c'est que l'eau submergeait certains débarcadères ; alors on bâtissait des passerelles de fortune à l'aide de planches posées sur des briques et des pierres, mais on était loin du compte. Venise possède un grand nombre de rues et beaucoup d'entre elles étaient désormais inondées.

Pour se déplacer tout en restant à peu près au sec – seul luxe qu'on pouvait espérer –, il fallait de grosses chaussures. Flavia s'en était munie, cela va sans dire. Elle fouilla dans sa valise, apparemment inépuisable, et trouva une paire de grandes bottes robustes, non seulement confortables et étanches, mais également seyantes. Argyll devait se contenter de ses lourds richelieus cousus main qu'il semblait avoir toujours portés, été comme hiver, durant la canicule ou le gel, depuis le premier jour où Flavia l'avait rencontré. Ils tinrent mieux le coup que prévu, mais ce serait sûrement leur dernière mission avant d'être mis au rebut.

Le plus mal loti était Bottando, qui, souffrant énormément de cors aux pieds, portait des mocassins italiens de cuir souple dont les semelles paraissaient fabriquées en carton. Comme il évitait de parler de ses cors à quiconque, pensant que ce n'était pas un mal digne d'un homme de son rang, il devait subir de temps en temps une remarque ironique sur sa coquetterie. Ses

276

chaussures tombant en charpie sur le chemin de l'Isola di San Giorgio et de la fondation Cini, il se plaignit amèrement de l'état de l'industrie italienne de la chaussure. Son malaise n'était pas seulement causé par ses souliers, cependant, c'était toute cette histoire qui le déprimait.

Bien que la réunion eût été convoquée avec une certaine hâte, tout le monde avait, semblait-il, accepté de venir. D'habitude Bottando ne goûtait pas ce genre de mise en scène, mais Flavia avait raison de dire que la rapidité était un élément essentiel s'il voulait rentrer à Rome avec des résultats et éviter de recevoir, dès le lundi matin, des coups de couteau dans le dos de la part de l'administration.

« Vous auriez dû mieux vous équiper pour le voyage, lui dit Flavia tandis qu'ils avançaient en pataugeant, l'air de se féliciter de sa propre prévoyance.

— Vous devriez acheter des chaussures plus appropriées », ajouta Argyll, tout aussi fier de la sienne.

Il fut vaguement tenté de leur répondre mais garda un silence maussade pendant qu'ils embarquaient dans le bateau-taxi et que, au milieu des fortes turbulences, ils traversaient lentement l'embouchure du Grand Canal.

« J'espère juste que tout le monde pourra venir, soupira-t-il en lançant au ciel un regard noir, comme si un signe de mécontentement de sa part pouvait le persuader de s'amender.

— Ça ne fait aucun doute, dit Flavia. Après tout, ils sont tous plus ou moins concernés. »

Il y eut un nouveau silence tandis que Bottando agitait

ses orteils dans ce qui restait de ses chaussures – dont les boucles en faux plaqué or étaient le seul élément encore intact – et sentait l'eau de mer tournoyer à l'intérieur. Il jura ses grands dieux de ne jamais revenir dans ce maudit endroit et répéta ce serment en débarquant sur l'île. Là, il n'y avait même pas de planches, remarqua-t-il pendant que, les pieds dans l'eau, ils avançaient le long de la digue jusqu'à l'entrée du monastère.

Une fois à l'intérieur, ils se séparèrent brièvement, chacun partant de son côté à la recherche d'une serviette pour se sécher dans la mesure du possible, avant de se retrouver dans la salle où le comité tenait ses réunions. Au bout de la table – où il n'y avait pas la moindre conversation amicale, nota Bottando – siégeaient la marquise et la signora Pianta. La marquise les regarda entrer d'un œil à la fois attentif et amusé, gaiement indifférente, semblait-il, à ce qui se passait. Elle trônait sur son siège comme si elle était propriétaire des lieux.

Au fur et à mesure que les autres participants pénétraient dans la salle, Argyll les dévisageait tour à tour ; n'en ayant encore rencontré aucun, il les avait imaginés à partir des portraits brossés par Flavia. Il apprécia son talent descriptif en reconnaissant l'énorme Van Heteren, l'air déprimé et inquiet ; Miller, tiré à quatre épingles mais un peu grassouillet, et dont l'expression d'homme traqué indiquait qu'il pensait à sa titularisation ; Kollmar, insipide et négligé ; Lorenzo, onctueux et élégant, qui se fit un devoir de saluer sa tante avec une courtoisie exagérée mais ne reçut en remerciement

qu'un signe de tête dédaigneux ainsi qu'un tressaille-
ment nerveux de la part de la Pianta.

Pas de Bovolo en vue. Où se trouvait-il donc ? C'est
la question que se posait Bottando en balayant la salle du
regard. Il ne voulait pas débuter sans lui. Comme il se
dirigeait vers l'un des sièges vacants, il sentait la vapeur
commencer à s'échapper de ses vêtements dans la salle
surchauffée et sans air. Flavia s'assit à côté de lui, tandis
qu'Argyll – qui, avec raison, faisait des efforts pour
passer inaperçu – se laissait tomber sur une chaise dans
un coin éloigné.

« Je vous remercie tous de vous être déplacés ce soir
malgré ce temps de chien », déclara Bottando dès qu'il
eut constaté que tout le monde était installé et prêt à
l'écouter.

On devrait se passer de Bovolo pour le moment en
espérant qu'il arriverait plus tard. Il avait d'abord
souhaité que Flavia prenne la parole, puisque c'était elle
qui était à l'origine de tout, mais elle avait affirmé que ça
aurait davantage de poids s'il s'en chargeait. C'était une
petite plaisanterie de sa part qui indiquait qu'elle se
sentait mieux. Elle lui avait donc expliqué la situation.
Pas dans tous les détails, mais avec suffisamment de
précision pour en finir au plus vite avant d'attraper le
dernier avion à destination de Rome.

« Veuillez m'excuser d'avoir organisé ce morceau
final pour expliquer les événements de cette dernière
semaine, ou à peu près, mais j'ai pensé que cette discussion serait bonne pour tout le monde. Au cours de
cette enquête, vous avez tous été soupçonnés, ou vous

279

pensez l'avoir été. Il est évident que dans la plupart des cas il s'agissait d'une erreur. Je connais la nature d'une carrière de chercheur, et je me rends compte que votre réputation pourrait souffrir énormément de commérages non fondés si la police ne fournissait pas un rapport précis afin que les innocents soient sans conteste lavés de tout soupçon, disons, heu !... d'inconduite. »

Des murmures de gratitude saluèrent ces égards officiels, mais, dans l'attente de ce qui allait suivre, cette réaction était encore visiblement mêlée d'appréhension.

« Vous avez tous le droit, pour des raisons diverses, de savoir ce qui s'est passé, et vous le révéler à tous en une seule fois nous fait gagner beaucoup de temps. Nous en avons déjà trop passé sur ce dossier et nous avons été amenés à enquêter sur des décès qui ne sont pas, et n'ont jamais été, du ressort de notre service. »

Il fit un signe de tête à l'adresse du juge d'instruction, ce qui sembla l'amadouer sans lui ôter toute méfiance.

« Bien sûr, notre emploi du temps ne vous intéresse guère... Mais vous n'êtes pas sans savoir que toute cette affaire a commencé par une enquête sur le meurtre de Louise Masterson, poignardée dans le jardin public près de la place Saint-Marc vendredi soir dernier, et découverte dans une serre le lendemain matin. Quatre jours plus tard, son collègue du comité, le Pr Roberts, est également mort dans des circonstances mystérieuses et, le même soir, une collection de peintures appartenant à la marquise di Mulino a disparu. Comme nous l'avons découvert plus tard, le fondateur du comité, Georges

Bralle, avait été étouffé chez lui, en France, quelques jours auparavant.

» Or, n'importe quel imbécile aurait pu deviner que cette série de décès et de méfaits possédait quelque rapport avec le travail du comité. »

Ça valait peut-être mieux que Bovolo ne fût pas présent, même si le juge eut à nouveau l'air contrarié.

« Mais ce qu'il fallait déterminer, c'est de quel aspect de ce travail il s'agissait. »

Le général commençait à s'amuser. Il se tut et regarda la mine de ceux qui l'entouraient ; ça allait de l'expression d'extrême souffrance sur les visages de Van Heteren et de Miller à l'air à la fois intéressé et réjoui de la marquise.

« Loin d'être fondé sur la collaboration d'une équipe de chercheurs partageant les mêmes aspirations, nous avons découvert que le comité Tiziano était, en fait, une sorte de foyer de méfiance et de haine. Georges Bralle avait instauré la règle de diviser pour mieux régner, mais il a fini par en être lui-même victime, le jour où le Pr Roberts l'a poussé vers la sortie en se débrouillant pour obtenir une subvention de l'État, laquelle, comme il le savait, serait jugée inacceptable par Bralle. Ce que Bralle avait mis en place s'est poursuivi après son départ. Par exemple, on s'attendait assez à ce que Louise Masterson présente un exposé extrêmement critique concernant le Pr Kollmar et on a suggéré à M. Lorenzo qu'il utilise ce prétexte pour le remplacer.

» Quand Louise Masterson est arrivée l'année dernière, elle désirait beaucoup, semble-t-il, faire bonne impression. Ça n'a pas duré longtemps. Le lendemain de sa venue, elle a trouvé à redire à un rapport du Pr Kollmar sur un tableau de Milan, indiquant qu'elle souhaitait le réexaminer personnellement. C'est précisément ce qu'elle a fait. Elle a écrit à Georges Bralle pour lui demander des renseignements et il a répondu qu'il ne pensait pas que Kollmar se soit trompé. Pourquoi a-t-il fait ça alors qu'il savait pertinemment, grâce à des documents fournis par lui-même, que Kollmar avait tort ?

» Cette année, Louise Masterson s'envole pour Zurich d'où elle prend un train à destination de Saint-Gall, ville où Bralle rencontre quelqu'un qui a vendu une Madone du Titien il y a quatre ans. Elle se rend à Milan pour voir le tableau sur lequel elle est en train de travailler, puis saute une réunion du comité pour aller à Padoue. Là, elle remet une lettre à quelqu'un qui a aussi vendu un Titien deux années auparavant. Finalement, soucieuse et surexcitée, elle commence à récrire sa communication à propos de ses découvertes, mais est assassinée avant de pouvoir la présenter.

» Elle avait mis au jour une pratique occulte du travail du comité, pratique qui s'était développée durant ces dernières années. Dans les trois cas, Roberts, l'expert en matière de style, avait fait l'évaluation visuelle et Kollmar, le spécialiste des archives, s'était occupé de la documentation prouvant l'authenticité des œuvres et avait rédigé les rapports. Deux des tableaux ont été vendus et Roberts a tenté de gagner de l'argent sur toutes les transactions.

» Les deux premières n'ont posé aucune difficulté.

Sous l'ancien régime, le comité Tiziano n'opérait pas très vite. Il pouvait s'écouler jusqu'à dix-huit mois avant que Kollmar ait fini de piocher dans les archives et de vérifier les faits. C'est très frustrant pour un propriétaire qui veut vendre et qui, pour obtenir le prix maximum, a besoin d'un certificat d'expertise signé par quelqu'un ayant bonne réputation.

» Dans le premier cas, il semble que l'idée ne soit même pas venue de Roberts. C'est le propriétaire de Saint-Gall qui a proposé d'offrir à celui-ci une commission de cinq pour cent sur le prix de vente en échange d'une authentification signée de sa main. La transaction fonctionne à merveille et Roberts reçoit un beau chèque de cent vingt mille dollars – sans que le Pr Kollmar touche un seul sou de cette somme. La seconde fois, Roberts prend l'initiative et propose lui-même cet arrangement.

» Pourquoi pas ? Les tableaux sont probablement authentiques et Roberts sait qu'il pourra faire pression sur Kollmar afin qu'il rédige la recommandation adéquate s'il y a le moindre problème. D'un autre côté, c'est à la limite de l'éthique professionnelle, et si l'on apprenait que le grand Anthony Roberts s'enrichissait en monnayant ses services de la sorte, l'intégrité du comité Tiziano serait compromise de manière quasiment irrémédiable.

» Et, bien sûr, cela causerait de graves dommages à la réputation de Roberts, et ce fut le besoin de défendre son honneur qui a conduit à cette suite de déplorables événements. Quel malheur si l'on découvrait qu'il s'agissait d'un homme dont l'empressement à authentifier un Titien dépendait de la somme qu'il recevait en échange ! Même un Kollmar pourrait se retourner contre lui et alors Lorenzo ne ferait de lui qu'une bouchée…

» Tout se passe à merveille jusqu'à ce qu'arrive le tour du tableau de Milan d'être expertisé. Benedetti veut vendre et Roberts est tenté de recommencer l'opération, même s'il n'a pas besoin d'argent et si son pourcentage doit être plutôt faible. Mais, sous le nouveau régime de M. Lorenzo, le mouvement s'est accéléré et Kollmar doit présenter ses rapports plus vite. La durée entre l'étude du tableau et la décision finale est dorénavant trop courte, surtout que dans ce cas particulier une grande partie de la documentation nécessaire a déjà été dénichée par Georges Bralle.

» Par conséquent, le plus simplement du monde, Roberts met sous le boisseau les documents de Bralle et suggère à Kollmar que le tableau ne vaut pas grand-chose. Kollmar recommande que le tableau soit rejeté. C'est alors que Roberts offre d'authentifier le tableau selon le processus habituel, avec l'intention de présenter les documents mis de côté une fois que la vente aura eu lieu afin de faire revenir le comité sur sa décision.

» C'est très simple, mais c'est une erreur. Roberts franchit là les bornes de l'éthique professionnelle, même la moins rigoureuse, et se fait pincer. Le fait crucial, c'est que Benedetti a consulté Bralle qui est scandalisé en découvrant le pot aux roses. C'est pourquoi il dit que Kollmar ne s'est pas trompé. Il croit que Kollmar est complice. Il effectue des recherches afin de voir si le fait s'est déjà produit. »

À ces mots, Kollmar, le visage cramoisi, poussa un cri de véhémente protestation.

« C'est un scandale ! L'idée que quelqu'un dans la position de Roberts aurait pu agir de manière aussi éhontée... »

Bottando s'apprêtait à l'interrompre, mais quelqu'un le fit à sa place.

« Oh ! tais-toi ! espèce d'imbécile », s'écria l'épouse de Kollmar.

Elle parlait en allemand, mais le sens général de son intervention était assez clair.

« Inutile de prouver que tu es un benêt, n'est-ce pas ? »

Bottando lui sourit.

« Merci, madame, fit-il. Vous voyez, ce qu'il faut bien remarquer, c'est que Roberts a dit à la signora di Stefano qu'il n'avait pas d'opinion à propos de la valeur du tableau, mais à Kollmar il a affirmé qu'il pensait que ce même tableau ne valait rien. Pourquoi s'est-il contredit ? L'unique raison possible, c'est qu'il voulait prendre ses distances vis-à-vis de cette évaluation et qu'il souhaitait que seul le Pr Kollmar endosse la responsabilité de la décision. »

Ayant patiemment expliqué à l'Allemand que sa défense de son ancien collègue était peut-être imprudente, Bottando décida qu'il était temps de revenir à sa démonstration avant d'en perdre le fil.

« Roberts s'inquiète lorsque Louise Masterson décide

d'examiner le tableau elle-même, car il se demande quel but elle poursuit. Les efforts pour l'en dissuader échouent et il se fait du souci. Étant donné qu'il n'a jamais pris sa compétence au sérieux, il se doute naturellement qu'elle aussi a vu la documentation de Bralle et qu'elle risque de l'utiliser contre lui. Il lui faut à tout prix savoir ce qui se passe, c'est pourquoi il rend visite à Bralle pour l'apprendre.

» Nous le savons parce que c'est ce qu'indique l'agenda de Bralle. Comme nous en a informés Van Heteren, Bralle prenait plaisir à donner des surnoms assez méchants. Professeur Van Heteren, comment est-ce qu'il appelait Anthony Roberts ? »

S'extirpant peu à peu de sa rêverie morose, attitude qui suggérait fortement qu'il écoutait seulement à moitié ce qu'on disait autour de lui, Van Heteren cligna les paupières en répondant à Bottando.

« Eh bien ! à cause de ses manières dévotes et de son allure digne, il l'appelait toujours Saint Antoine. »

Bottando lui fit un radieux sourire.

« Et dans l'agenda de Bralle, il est indiqué que Saint Antoine devait lui rendre visite le jour du meurtre.

» De plus, Roberts avait dit que Louise Masterson devait écrire une lettre de recommandation pour Miller. Parmi les collègues se trouvant à Venise, seuls Louise Masterson et Van Heteren étaient au courant. Louise Masterson ne voulait pas qu'on le sache. Alors comment Roberts le savait-il ? Pour la simple et bonne raison qu'une copie de la lettre de Bralle suggérant le nom de

Louise Masterson se trouvait sur le bureau de celui-ci à Balazuc. C'est là que Roberts l'avait vue.

» Évidemment, il est impossible de savoir avec exactitude ce qui s'est passé pendant l'entrevue de Balazuc. Mais il est probable que Bralle a accusé Roberts de conduite peu professionnelle et a menacé de le dénoncer afin de sauver son comité. La méthode utilisée pour le tuer était destinée à faire croire qu'il était mort de vieillesse. C'était la seule manière de l'empêcher de parler. Roberts pensait sans doute que, de toute façon, le vieil homme n'en avait plus pour longtemps. »

Un profond soupir collectif salua cette révélation. Donc, c'était Roberts. Dès que l'on eut fait commodément endosser à un cadavre la responsabilité de tout ce qui s'était passé, l'atmosphère de la salle s'allégea nettement. Seul Van Heteren semblait toujours sensible à la dimension tragique des récents événements.

« Lorsque Roberts est rentré à Venise, il devait être à peu près certain que tout finirait bien, reprit Bottando. Bralle était hors jeu et il n'y avait aucune preuve que Louise Masterson eût été en contact avec lui. C'est alors qu'il a emprunté son livre et qu'il y a découvert un billet pour Saint-Gall. Il sait qu'elle travaille sur le tableau de Milan, puis il apprend qu'elle s'est rendue à Padoue. Finalement, Van Heteren annonce qu'elle est en train de réécrire sa communication et il prévoit que cela fera sensation. Roberts sait de quel genre de sensation il s'agit et que ça n'aura rien à voir avec une analyse des traits de pinceau dans les premières œuvres de Titien.

» Pour sûr, Roberts possédait un alibi impeccable

287

pour le meurtre de Louise Masterson. Il avait pris la précaution d'acheter à la dernière minute des billets pour l'Opéra. Et il n'aurait pas pu voler les tableaux de la marquise. »

Il y eut un léger bruit de pas au fond de la salle, au moment où Bovolo et un autre policier entrèrent discrètement dans la pièce. Le premier arborait une expression de triomphe serein sur son visage, ce qui inquiéta Bottando. Ce genre d'homme n'avait pas l'air heureux sans une bonne raison.

« On dit souvent qu'un meurtre en entraîne un autre, reprit Bottando, en espérant que les choses n'allaient pas tourner mal. Ce n'est pas le cas, en l'occurrence, car Roberts était bien trop prudent pour tenter le sort une seconde fois. »

Cette déclaration provoqua quelque émoi. Après avoir réduit le champ des probabilités à la satisfaction de tous les présents, voilà qu'il l'élargissait à nouveau.

« Beaucoup de tableaux sont apparus dans cette affaire : des Titiens à Milan et Padoue, d'autres œuvres volées chez la marquise. D'étranges parallèles n'ont pas cessé de faire surface. Un Titien représente une femme assassinée dans un jardin ; Louise Masterson a été assassinée dans un jardin. Le meurtrier du tableau est un amant jaloux, et l'amant de Louise Masterson, Van Heteren, a avoué lui-même avoir été jaloux. C'était presque comme si l'histoire se répétait et désignait le coupable.

» Mais il ne s'agissait là que d'une simple diversion, comme nous nous en sommes finalement rendu compte.

La jalousie de Van Heteren a été éveillée par des remarques fielleuses du Pr Miller, la seule autre personne qui voulait se débarrasser de Louise Masterson. Ce n'est pas la vérité, professeur ? »

Miller ne souhaitait pas répondre, semblait-il. Muet et livide, il remplaça Van Heteren dans l'examen du sol. Il ne parvint qu'à secouer la tête.

« Alors, permettez-moi d'expliquer ce qui s'est passé. Vendredi, Miller et Roberts ont déjeuné ensemble. La façon dont Roberts a présenté son dossier est très claire. Il a lâché sa bombe à propos de la lettre de recommandation qu'écrivait Louise Masterson pour Miller, ajoutant pour faire bonne mesure qu'elle ne reculerait devant rien pour qu'il soit mis à la porte. Miller était tout disposé à le croire, vu les remarques qu'elle avait faites la veille. Pour couronner le tout, Roberts l'a averti que la communication qu'elle ferait le lundi suivant scellerait son sort. Même s'il ne s'agissait que d'un tissu de mensonges, cela nuirait temporairement au prestige du comité ainsi qu'à la réputation de Roberts, et, par conséquent, porterait atteinte au pouvoir de celui-ci d'intervenir en faveur de Miller. »

Flavia paraissant soudain quelque peu contrariée, Bottando eut peur de s'être fourvoyé. Il s'arrêta un instant pour avaler une gorgée d'eau et se pencha vers elle.

« Je m'égare ? » lui demanda-t-il d'un ton pressant.

Elle agita la main dans les deux sens.

« Continuez. Je vous le dirai tout à l'heure. »

Il reposa le verre et essaya de se rappeler où il en était.

« Comme l'avait noté Mlle di Stefano, Miller en voulait beaucoup à Louise Masterson. Elle avait de meilleures relations, publiait beaucoup, occupait un meilleur poste. Et voilà qu'elle allait briser sa carrière ! Est-il surprenant, par conséquent, qu'il se soit empressé d'approuver lorsque Roberts a déclaré qu'il fallait l'empêcher d'agir ?

» Mais Miller possédait un alibi sans faille. Il se trouvait sur l'île à vingt-deux heures, heure à laquelle on l'a vu dans la cuisine, et aucun bateau n'a accosté sur l'île de toute la soirée. Il devait donc s'y trouver plus tôt et ne pouvait pas avoir tué Louise Masterson dans les Giardinetti Reali.

» Sauf qu'il n'avait pas besoin d'un bateau. Il a entendu Kollmar offrir un verre à Louise Masterson. Cette proposition avait été faite sur le vaporetto qui venait de quitter l'île. Donc il est clair qu'il est parti. Comment est-il revenu si aucun bateau n'était en service ? Il a bien dû trouver un moyen.

» Voilà ce qui s'est passé. Un peu plus tôt, ce même jour, Roberts avait noté un message pour Louise Masterson, aussi savait-il où la trouver. Il a donné le renseignement à Miller pendant leur déjeuner. Ensuite Miller prend le bateau et erre de-ci de-là, se montant de plus en plus la tête. Il se rend au jardin pour lui dire ce qu'il pense. Il l'accuse de vouloir briser sa carrière, d'être cruelle et perverse. Roberts dit ceci, Roberts m'a dit cela. Elle lui explique sans doute qu'il est grotesque, qu'il se fait une montagne d'un rien. Il ne se maîtrise plus. Il lui donne des coups de canif et la laisse pour morte.

» Était-ce prémédité ou non ? Je n'en sais rien. Peut-être ne voulait-il que lui dire son fait. Mais les insinuations de Roberts, ajoutées aux années de profonde jalousie, ont mis le feu aux poudres. Elle l'avait bien cherché. C'était sa faute.

» Mais il a un problème à résoudre. L'idée de se rendre à la police ne le tente pas, et il se trouve loin de sa chambre, sans moyen de locomotion pour rentrer. Mais ce n'est qu'à cinq cents mètres de l'autre côté du canal, c'est-à-dire l'équivalent de quelques longueurs de piscine. Rien d'impossible pour un nageur aussi puissant et aussi bien entraîné. Il enlève ses chaussures, puis les jette, avec le canif et le sac de Louise, dans le canal.

» Quand il débarque sur l'Isola di San Giorgio, il utilise sa clé pour entrer par une porte latérale. Il est trempé jusqu'aux os et laisse dans le couloir des flaques qu'on croira causées par des fuites du toit. Or, il ne pleuvait pas. Par conséquent, d'où auraient pu provenir ces flaques ? Il s'essuie, descend dans la buanderie pour laver ses vêtements, puis demande un verre d'eau pour se créer un alibi. Des remarques, professeur ? »

Pas davantage de réponse.

« Mais Louise n'était pas morte, poursuivit Bottando. Elle sait qu'elle est en train de mourir et qu'elle ne sera pas secourue à temps. Elle sait aussi par Miller que c'est Roberts qui lui a monté la tête, jouant le rôle de Iago et Miller celui d'Othello. C'est, me semble-t-il, une métaphore vénitienne qui s'impose. Elle tente de laisser un indice suggérant ce qui s'est passé.

» Elle n'est pas traînée dans la serre par quelqu'un, contrairement à ce que pensera le commissaire Bovolo. Elle s'y est traînée elle-même, parce qu'elle sait ce qui s'y trouve : des fleurs choisies par elle pour décorer la table du banquet de samedi. Elle arrache la croix de son cou et s'empare d'une fleur. Une croix et un lis. Le symbole de saint Antoine. Les fleurs étaient destinées à illustrer sa magistrale découverte de Milan, mais elles lui ont en fait servi de gerbe mortuaire. »

Un long silence s'ensuivit pendant lequel tous pivotèrent sur leur siège pour dévisager Miller, qui restait muet et livide.

« Eh bien ! professeur Miller, je brûle ? finit par demander Bottando.

— Oui, répondit Miller du ton las d'un homme au bout du rouleau. Tout à fait.

— Désirez-vous faire une déposition officielle ? Les aveux spontanés produisent des miracles et permettent d'obtenir un verdict plus clément. D'un autre côté, vous pouvez attendre jusqu'à ce qu'on découvre des traces de sang sur vos vêtements ou sous vos ongles. On trouvera quelque chose. Les médecins légistes trouvent toujours quelque chose. Ils sont extrêmement forts, vous savez. »

En réalité, Bottando ne comptait pas trop sur l'enquête scientifique. Les tests médico-légaux n'étaient jamais aussi précis que le prétendaient les spécialistes. Il avait vu trop d'experts scientifiques authentifier de faux tableaux pour croire aveuglément à leurs prouesses, mais sa mise en garde parut convaincre Miller qui hocha la tête d'un air penaud. Bottando poussa un soupir de soulagement.

« Bien ! » fit-il avec satisfaction en remarquant le visage de plus en plus blême de Bovolo, dont la promotion disparaissait à vue d'œil.

« Une seconde ! Voulez-vous dire que c'est le Pr Miller qui a aussi tué Roberts ? »

La question venait de Kollmar, lequel s'était calmé et commençait à s'intéresser activement à la discussion. Bottando le regrettait. Il ne serait pas aussi à l'aise dans la phase suivante. Mais Flavia avait souligné que, tactiquement, c'était une étape obligatoire. Avant qu'il ait eu le temps de répondre, elle prit la parole. Bottando eut l'impression qu'elle ne lui faisait pas tout à fait confiance.

« Non. Bien sûr que non, s'empressa-t-elle de préciser. Pourquoi l'aurait-il fait ? La suite des événements est parfaitement claire. Roberts est interrogé. Il donne sa version des faits : il explique que le décès de Louise l'a beaucoup peiné, qu'il avait tant fait pour l'aider, etc. Il est très convaincant. On ne le soupçonne pas le moins du monde.

» Mais un peu plus tard je vois également Van Heteren (lequel blêmit derechef en entendant Flavia) et je lui parle du motif de la croix et du lis. À cause de ma manière quelque peu impressionniste de mener les interrogatoires, c'est la seule personne à qui j'en ai parlé.

» Le Pr Van Heteren n'est pas un imbécile. Il se rend compte que Louise Masterson faisait référence à

293

Roberts, mais a du mal à le croire. Il ne veut pas non plus incriminer à tort un collègue ; c'est pourquoi il a refusé de nous dire qu'il a entendu Roberts parler à Mme Pianta au téléphone.

» C'est ainsi que mardi soir, après notre entretien, il va voir Roberts pour discuter de l'affaire. Roberts le rassure tout en sachant que, s'il n'y a guère de risques que les carabiniers saisissent le sens des symboles, il est possible que nous le fassions. Et si cela déclenche une enquête plus minutieuse au sujet du décès de Bralle… »

Il n'y a pas de mal à se faire un peu de publicité, pensa-t-elle. Surtout quand c'est pour la bonne cause.

« Roberts est coincé et ne peut supporter l'idée de la prison et de l'humiliation. Il a déjà tué et manœuvré pour éviter d'être pris, mais il est évident que ses efforts ont été vains. Il n'y a pas d'issue : aussi, après le départ de Van Heteren, il se suicide pour échapper à ce qui l'attend. Il tente d'abord de se pendre, d'où les marques violacées dans le cou, mais n'a pas le courage d'aller jusqu'au bout. Aussi se jette-t-il dans le canal et se noie-t-il. »

Bottando paraissait encore plus mal à l'aise, Argyll semblait extrêmement surpris, et le reste de l'auditoire poussa une seconde fois un énorme soupir de soulagement.

« C'est bien ainsi que ça s'est passé, professeur ? » demanda-t-elle au Hollandais.

Van Heteren ne répondit pas tout de suite. Enfin il leva les yeux du tapis qu'il avait scruté avec une profonde attention et murmura :

« Si vous le dites.

— Et vous avez entendu la conversation télé-phonique ?

— Oui, mais…

— Bien ! l'interrompit Flavia. Dommage que vous ne nous l'ayez pas dit plus tôt, mais je savais qu'il s'agissait de quelque chose comme ça. »

Elle sourit à son patron pour le rassurer ; il lui répondit par un froncement de sourcils. En tout cas, le pire était passé. Bottando s'agita sur son siège et décida d'en terminer au plus vite avec cette lamentable affaire. Leur triomphe définitif n'était qu'une question de minutes. La seule chose qu'il eût bien voulu connaître, c'était la petite surprise que leur réservait Bovolo.

« Bon ! Maintenant, dit-il en reprenant la situation en main, il reste un dernier mystère : les tableaux de Mme la marquise. Leur statut était ambigu. Le marquis a imité bon nombre d'aristocrates : il a légué ses biens à son héritier, M. Lorenzo, mais son épouse en a la jouissance à vie. Rien ne peut être vendu sans la permission de son neveu. Naturellement, celui-ci l'avait donnée pour les œuvres en question parce qu'elles ne possédaient pas une grande valeur.

» Mais la marquise et Mme Pianta se doutaient qu'un des tableaux, un portrait anonyme, faisait exception. Louise Masterson tenait à l'examiner, tout en refusant d'expliquer pourquoi. S'il avait de la valeur et si M. Lorenzo l'apprenait, il retirerait son accord, vu son rôle public de défenseur du patrimoine national.

» La marquise répugnait à obéir à quelqu'un de bien

295

plus jeune qu'elle – c'est une réaction que je comprends parfaitement, ayant moi-même connu des difficultés similaires. Mme Pianta pensait à sa vieillesse et à la perspective de se retrouver sans toit et sans un sou à la mort de sa maîtresse. Là encore, il s'agit d'une attitude tout à fait compréhensible.

» Après la mort de Louise Masterson, on risquait d'apprendre que celle-ci s'intéressait au tableau ; il est alors devenu évident qu'il fallait de toute urgence le faire sortir du pays, avant que Lorenzo n'oppose son veto. Les deux femmes étaient décidées à ne pas attirer l'attention, raison pour laquelle Mme Pianta n'a pas expliqué le motif de son rendez-vous avec Louise Masterson juste avant l'assassinat de celle-ci.

» À la dernière minute, par conséquent, elles ont essayé de renégocier le contrat avec Argyll afin de le convaincre de faire passer le tableau en Suisse. Malheureusement pour elles, il a refusé et elles ont dû se rabattre sur une autre petite combine. Il n'est pas étonnant que Mme Pianta ait été si contrariée lorsque Argyll l'a présentée à ma collaboratrice ce soir-là, vu ce qu'elles s'apprêtaient à faire.

» Tout simplement, elles ont descendu les toiles dans une cave peu utilisée et, afin de gagner du temps, ont déclaré qu'on les avait dérobées, en attendant de trouver un marchand plus corrompu. Alors on pourrait exporter le tableau en fraude et le vendre grâce aux services d'un intermédiaire, sans que Lorenzo puisse faire grand-chose. C'est pourquoi dès que je me suis rendu compte de ce qui s'était passé, j'ai fait poster un policier pour empêcher que le tableau ne quitte la maison. »

La Pianta était livide, mais la marquise arborait l'air effronté d'une adolescente surprise à voler des biscuits. En fait, elle paraissait plutôt contente d'elle. Elle, en tout cas, s'était beaucoup amusée ces derniers jours.

« Bravo ! mes félicitations, général, s'écria-t-elle, radieuse. Et je retire ce que j'ai dit : les policiers ne sont pas tous des imbéciles. »

Bottando inclina la tête pour la remercier du compliment.

« *Vraiment*, ma chère petite tante, dit Lorenzo d'un ton sévère. Comment avez-vous pu faire une telle chose ? Il n'est pas question de jeter Maddelena à la rue et vous le savez. J'ai toujours su que vous étiez excentrique, mais pas à ce point ! »

Lançant à son neveu un regard pétillant de malice, elle haussa les épaules d'un air espiègle.

« Et mes tableaux ? s'écria Argyll afin d'obtenir quelque renseignement sur la seule chose qui comptât pour lui.

— Bien sûr, il n'est plus question de… », commença Lorenzo, avant d'être interrompu par une légère toux provenant du fond de la salle.

Une toux discrète. Presque pudique, de la part du commissaire Bovolo. Mais pour Argyll cela sonna comme un glas.

« Avant que vous poursuiviez… », dit-il, un soupçon d'autosatisfaction dans la voix.

Il y eut un bref silence, le Vénitien savourant le privilège inattendu d'être le point de mire de la soirée.

« Eh bien ! allez-y ! » fit Bottando d'un air lugubre.

Nous y voici, pensa-t-il.

« Suivant les indications du général Bottando, continua Bovolo d'un ton assez guindé, munis d'un mandat de perquisition, une fois vérifié que la marquise et Mme Pianta étaient parties, nous avons pénétré dans leur palais pour fouiller les caves à la recherche des objets manquants. Ça n'a pas été facile ; c'est la raison pour laquelle nous sommes arrivés en retard. Comme vous le savez, il a fait mauvais temps et les eaux ont énormément monté… »

Il fut interrompu par le cri étouffé émis par Lorenzo. Les yeux de la marquise cessèrent de pétiller et, bien qu'il n'eût aucune idée de ce qui allait suivre, Argyll avait envie de se boucher les oreilles. Cependant Bovolo continua, inexorable :

« La cave est l'une de celles qui communiquent directement avec le canal afin de faciliter l'accès des commerçants. Il semble que la plupart des peintures aient été posées à même le sol, verticalement pour les protéger, mais pas placées suffisamment haut…

— Oh ! Pianta… Espèce d'idiote ! Tu ne peux donc rien faire correctement ? interrompit la marquise.

— Pas suffisamment haut, comme je disais, reprit Bovolo d'un ton sentencieux, pour empêcher qu'elles ne soient délogées par la crue des eaux qui a commencé aujourd'hui à inonder la cave. Mes hommes ont découvert plusieurs de ces peintures toujours dans la cave mais flottant à la surface de l'eau. Elles ont beaucoup souffert mais on les a récupérées.

— Et l'autoportrait ? » gémit Argyll.

Dans ce genre d'épreuve il ne reste plus à un être humain que le stoïcisme.

« Le portrait en question, poursuivit Bovolo en guise de péroraison, que le général Bottando m'avait instamment prié de récupérer, semble être l'un des tableaux qui ont été emportés dans la lagune par le reflux. Nous allons, naturellement, partir à sa recherche dès demain matin…

— Grand Dieu ! ne prenez pas cette peine ! s'exclama Lorenzo avec un petit rire nerveux. Après douze heures passées dans l'eau saumâtre, il n'y aura plus rien à retrouver. Le seul espoir qui nous reste, c'est qu'en fin de compte il n'ait eu aucune valeur. »

À en juger par la mine des autres personnes présentes, Argyll avait le sentiment que la plupart d'entre elles étaient bien plus navrées par la perte du tableau que par le meurtre de Louise Masterson et de Bralle. C'était vraiment pitoyable. Il vit aussi que Flavia le fixait d'un air terrorisé. Il eût été exagéré d'affirmer que les yeux lui sortaient de la tête, mais il était clair qu'elle voulait lui dire quelque chose.

Il ferma la bouche puis la rouvrit. Il hésitait. Ce n'était pas du tout comme ça qu'il avait imaginé la fin de la soirée. Et son triomphe ? Et son coup d'éclat ? Ah ! ce qu'on ne fait pas pour ses amis…

« Et alors ? s'enquit Lorenzo lorsqu'il en eut assez de voir Argyll ouvrir et refermer la bouche. Avait-il de la valeur, oui ou non ? »

D'un geste las, Argyll se frotta la face des deux mains, renifla bruyamment et parcourut du regard la rangée de visages attendant sa réponse. Il espérait qu'il n'allait pas dire quelque chose de trop pénible.

« Je maintiens mon opinion pour ce qu'elle vaut. J'ai soupesé tous les éléments : il s'agit d'une œuvre mineure exécutée par un peintre mineur. Rien qui puisse mettre une salle des ventes en émoi, je peux vous le garantir », conclut-il.

À part lui et le commissaire Bovolo, tous paraissaient enchantés de cette explication. Reconnaissants, en fait. Il se leva, l'air morose, et comme il n'y avait plus rien à dire, semblait-il, tout le monde l'imita. Peu à peu l'assistance se dispersa. On entendit encore des bribes de conversation pendant que chacun reprenait son manteau et se préparait à partir.

L'assistant de Bovolo surveillait Miller avant de l'emmener faire sa déposition. Les collègues de Miller l'évitèrent soigneusement. Bottando et le magistrat instructeur étaient en pleine conversation, conversation dont Bovolo fut tenu soigneusement à l'écart. Lorenzo fixait sa tante, se demandant apparemment s'il était sage de l'aborder ; finalement il décida, à l'évidence, de la laisser mijoter dans son jus. Kollmar et sa femme sortirent d'un pas tranquille, suivis par une marquise toujours rayonnante, tandis que la Pianta fermait la marche.

Enfin, il ne resta plus que Van Heteren. Il s'approcha discrètement de Flavia et ouvrit la bouche pour parler.

« Non. Je ne veux plus rien entendre, professeur, s'empressa-t-elle de dire avant qu'il ait eu le temps de prononcer le moindre mot. Partez ! Retournez en Hollande…

— Mais il faut que je…

— Il faut que vous ne fassiez rien du tout. J'en ai eu tout mon soûl. Rentrez vous coucher. Sans tarder.

— Tu as déjà pensé à devenir mère de famille ? demanda Argyll en regardant le Hollandais lui obéir et filer la tête basse comme un enfant puni. On dirait que tu es née pour ça.

— Non. Mais merci pour ta proposition. Viens ! Partons d'ici ! »

La pluie avait au moins nettoyé l'atmosphère. Le temps lourd et humide avait cédé la place à une nuit lumineuse où soufflait une brise fraîche et légère. La décrue s'était même amorcée. Dans une heure environ les rues seraient praticables.

C'est dans un silence complet, plutôt mélancolique, que l'Anglais et les deux Italiens retraversèrent la vaste embouchure du Grand Canal.

« C'était du bon boulot, dit enfin Bottando en tapotant l'épaule de la jeune femme. Mes félicitations. Je suis fier de vous. Il se peut fort bien que vous gardiez votre travail.

301

— Merci. Je ne suis pas sûre de certains détails, cependant.

— Moi non plus, intervint Argyll. Par exemple, quand tu as dit… »

Flavia plaça sa main sur le bras du jeune homme et le serra légèrement pour l'inciter à se taire. Il obtempéra mais prit un air boudeur.

« J'ai remarqué que vous étiez contrariée. Est-ce que je me suis égaré quelque part ? demanda Bottando.

— Vous avez bien le bon coupable, mais je crois que vous avez mal interprété la mort de Louise. C'est parce que vous ne l'avez pas comprise.

— Ah oui ? Qu'est-ce qui cloche dans mon interprétation ?

— En tant qu'hommes, vous l'avez tous décrite d'une façon, disons, parfaitement prévisible. Arriviste, hargneuse, ambitieuse, vindicative. Et vous avez supposé, vous et les autres, qu'elle allait planter ses crocs.

— Et vous allez me dire que ce n'était pas le cas ?

— Bien sûr que non. Ça ne colle pas. C'est ce que craignait Roberts, et c'est pourquoi il a monté la tête à Miller. Mais il se trompait. Je crois qu'elle se fichait pas mal de ses combines, bien qu'elle les ait désapprouvées et qu'elle ait souhaité quitter le comité avant que Bralle n'ait tout fait voler en éclats. Elle s'est rendue à Saint-Gall parce qu'elle voulait que Bralle lui parle du Titien appartenant à Benedetti. Elle est allée à Milan et à Padoue pour la même raison. Elle n'a d'ailleurs rencontré aucune des deux personnes qui avaient vendu ces tableaux.

» Louise n'avait pas envie de se mêler de ces histoires. Pourquoi l'aurait-elle fait, alors que Bralle œuvrait déjà pour dénoncer Roberts ? On sait que ce genre de chose indisposait cette femme. Kollmar l'agaçait, sans aucun doute, mais Roberts est le seul à avoir déclaré qu'elle avait dit du mal de lui. À part Roberts, personne ne l'a entendue parler autrement qu'avec politesse. Devant le comité, l'année dernière, tout ce qu'elle a indiqué c'est qu'elle voulait travailler sur le tableau ; c'est Roberts qui a signalé à Kollmar qu'elle disait des méchancetés sur lui derrière son dos. D'accord, elle était cassante, mais qui ne le serait pas avec ce ridicule petit pédant ?

» Avec Van Heteren, Benedetti, ou ce moine de Padoue, elle était aimable et charmante. Ils l'ont tous souligné. Et le jour de sa mort elle n'était pas à la bibliothèque pour écrire des lettres dénonçant la corruption d'universitaires ou des lettres de recommandation défavorables sur Miller, elle lisait des ouvrages d'histoire de l'art. En chercheuse compétente et passionnée. Elle n'a jamais représenté la moindre menace pour Roberts ou Miller. La pauvre femme a été tuée parce qu'ils croyaient tous qu'elle était aussi ambitieuse, mesquine et obsédée par sa carrière qu'eux-mêmes.

— Alors, de quoi cette communication allait-elle traiter ?

— Elle allait annoncer l'une des découvertes les plus sensationnelles depuis de nombreuses années, répondit simplement Flavia. C'est sur quoi elle travaillait si dur.

Il ne s'agissait ni de manœuvres politiciennes ni de dénonciations. »

Bottando fit la grimace et leva la main.

« N'en dites pas plus ! Je ne veux rien savoir. Vous avez peut-être raison et il se peut que j'aie mal jugé cette pauvre dame, mais je n'ai pas envie d'entendre les détails. En outre, il semble bien que j'aie arrêté le vrai coupable et, franchement, tout ce qui m'importe pour le moment, c'est de me sécher les pieds et de rentrer à Rome par le prochain avion », déclara Bottando au moment où la proue touchait le débarcadère.

Il se hissa avec effort hors du bateau.

« Je dois soumettre un budget et exercer bon nombre d'ultimes pressions dès potron-minet. Au moins, ajouta-t-il plus joyeusement, je possède dorénavant quelques munitions. »

Elle abandonna donc le sujet. N'ayant qu'un seul désir, prendre un bain, Bottando fila dès qu'ils eurent mis pied à terre. Argyll et Flavia s'éloignèrent sans se presser ; dix minutes plus tard, ils s'étaient une nouvelle fois complètement perdus.

« Maintenant, tu peux poser ta question, dit-elle une fois que Bottando eut disparu et qu'ils eurent décidé de ne plus chercher à savoir où ils se trouvaient exactement.

— Ah ! De quelle question s'agit-il ?

— À propos de Van Heteren.

— Oh ! celle-là. Eh bien, oui… C'est lui, n'est-ce pas ?

— Bien sûr que c'est lui. Il est allé voir Roberts, l'a accusé d'avoir tué sa maîtresse, l'a à moitié étranglé, l'a entraîné vers le canal et l'y a précipité. Ces traces sous la maison de Roberts – et sur le cou de celui-ci – le prouvent. Crime passionnel. C'est un homme impétueux et c'est précisément la sorte d'action qu'il est susceptible de commettre. Je t'ai dit qu'il avait ce genre de caractère.

— Mais il s'est trompé. Roberts n'avait pas tué Louise. Tu n'avais pas envie de le signaler ? Et Bottando était d'accord ? »

Elle haussa les épaules.

« Nous ne sommes pas chargés de l'enquête criminelle. Ça n'aurait pas été correct d'humilier complètement les gens du coin. Déjà ça oppose Bovolo au magistrat. Bovolo mord un peu la poussière pour s'être trompé à propos du décès de Louise et le magistrat est tellement ravi que personne n'ait rappelé la façon dont il a fait pression sur le médecin légiste qu'il a accepté de nous remercier par écrit de notre excellent travail. Et Pierre Janet, cet homme adorable, va lui aussi nous présenter comme des héros pour avoir résolu le meurtre de Bralle. Le service se couvre de gloire juste à temps pour la proposition de budget de Bottando. Que demande le peuple ?

— Allons ! allons ! s'écria Argyll, exaspéré, ni toi ni Bottando n'êtes à ce point cyniques. Je me trompe ?

— Non, admit-elle. Mais je n'ai pas eu le courage de le dénoncer. Ni le général non plus, une fois que je l'ai eu un peu travaillé au corps. Ça n'a pas été facile de le convaincre, mais c'est une bonne pâte, en réalité, et on peut vraiment le raisonner, du moment que personne ne le sait.

— Ouais… Je crois quand même que tu es un peu trop généreuse. Van Heteren est un assassin, après tout.

— C'est vrai, et je suis sûre qu'il est bourrelé de remords. Mais c'est Roberts qui est à l'origine de tout et qui a tué Bralle. C'était un sale type, à tout point de vue. De toute façon, il est mort. On ne peut rien faire pour le ramener à la vie. Au contraire, Van Heteren était la seule personne sympathique du lot. Il aimait vraiment cette femme et c'est le seul qui était bien disposé envers elle.

» Moi, je trouve tout ça très compréhensible. De plus, à quoi est-ce que ça servirait de l'arrêter ? Je n'ai jamais vraiment saisi pourquoi il faut absolument livrer les assassins à la justice. Je pense que certains meurtriers doivent passer à travers les mailles du filet. Tout dépend de qui est la victime, évidemment. Drôle de raisonnement de la part d'une femme policier, non ?

— En un sens. Mais, comme tu ne cesses de me le rappeler, tu n'appartiens pas à la police. Alors je suppose que tu peux raisonner comme tu l'entends.

— Qui plus est, Van Heteren nous a rendu service. Je doute que nous ayons jamais pu arrêter Roberts. Nous savons qu'il a tué Bralle, mais il n'existe aucune preuve qui puisse tenir le coup devant un tribunal. On n'aurait pu l'arrêter pour l'unique raison qu'il avait monté la tête à Miller, et ses combines sur les tableaux, bien qu'elles aient bafoué la déontologie, n'étaient pas illégales. Sans Van Heteren, il s'en serait tiré indemne. Ça ne blanchit pas vraiment Van Heteren, sur le plan technique, disons. Mais c'est ainsi.

— Donc, vous étouffez toute l'affaire ?

— Nous ? Étouffer une affaire de meurtre ? Grands dieux, non ! Quelle idée ? répliqua-t-elle avec suffisance. C'est ce qui est merveilleux… Nous n'avons fait qu'émettre un avis. Il n'y a rien d'immoral à être un tantinet inexact à propos de certains détails. Comme Bovolo nous l'a répété à l'envi, c'est lui qui est chargé du dossier, pas nous. Le pauvre homme va devoir reprendre son rapport original et en rédiger un nouveau. Comme tout le monde est au courant désormais, c'est très embarrassant pour lui. Bien sûr, il va mettre mot pour mot par écrit ce que nous avons dit. Il va relater le meurtre de Louise et donnera ensuite l'explication officielle sur le suicide de Roberts. C'est futé, non ? Ce n'est pas comme si nous l'empêchions de découvrir la vérité s'il y tenait. »

Argyll ne pipant mot pendant quelques instants, Flavia imagina qu'il était éperdu d'admiration. Ce n'était pas tout à fait le cas. Il tentait de démêler les implications morales de ce qu'elle venait de faire. L'effort l'ayant épuisé, il décida de lui accorder le bénéfice du doute. En Italie, il y a certaines choses que les étrangers ne peuvent jamais vraiment comprendre.

« La seule difficulté est venue des tableaux de la marquise, reprit-elle en l'enserrant d'un bras en un geste de gratitude. Et heureusement tu nous as épargné une sale histoire à ce sujet. Ç'aurait été très gênant si tu avais annoncé que la décision de Bottando de poster un policier chez elle avait eu pour conséquence indirecte que le seul autoportrait existant de Giorgione avait été emporté par le reflux. »

Il la fixa, éberlué.

« Giorgione ? demanda-t-il, incrédule. De quoi parles-tu ? Qui a jamais parlé d'un Giorgione ? »

Elle retira son bras.

« Toi…, commença-t-elle en hésitant.

— Pas du tout !

— Si. Tu as dit que le tableau représentait un auto-portrait de l'amant de Violante di Modena… »

Il éclata de rire.

« Oh ! non ! s'écria-t-il, très amusé. C'est incroyable ! Ce n'est pas du tout ce que j'ai voulu dire. Ma pauvre Flavia ! Tu dois être très malheureuse depuis une heure.

— Mais que diable as-tu voulu dire ? » rétorqua-t-elle d'un ton furieux, agacée de s'être tant attristée et inquiétée pour rien.

Il éclata de rire à nouveau.

« Je croyais te l'avoir expliqué. Ce tableau représentant l'homme au nez crochu était l'autoportrait d'un peintre. La série de Padoue que Titien *voulait* peindre montrait cet homme a) en train d'accuser Violante di Modena d'être infidèle ; b) en train de la tuer ; c) en train d'être lui-même empoisonné. C'est un peu bizarre d'avoir détourné une commande religieuse pour un tel objectif, mais à l'époque Titien était jeune et très tourmenté. Peut-être se servait-il de la création artistique comme d'une thérapie. De toute façon, ça n'a aucune importance.

» À l'évidence, cela n'a rien à voir avec Giorgione qui est mort avant Violante et qui, par conséquent, n'a pas pu la tuer. En outre, Giorgione est mort de chagrin. Je te

308

l'ai dit. Quelqu'un d'aussi célèbre que lui n'aurait pu être assassiné sans que cela se sache. Et par-dessus le marché, comme je l'ai indiqué, il s'agissait d'un tableau médiocre. Même en dormant, Giorgione aurait fait du meilleur travail.

» Ce n'est pas ce qui intéressait Louise. Elle ne pensait pas avoir retrouvé quelque chef-d'œuvre perdu. Ce qui l'enthousiasmait, c'est d'avoir déchiffré le récit personnel et très complexe d'un scandale occulté depuis des siècles. L'iconographie, le symbolisme, le décryptage des peintures, voilà quelle était sa spécialité, pas les styles ni les documents d'archives. Quel homme "pas sympathique", pour utiliser ses propres termes, a volé la dame et expédié Giorgione dans la tombe avant l'heure, le cœur brisé ? Et, semble-t-il, l'a tuée au cours d'une crise de jalousie quand il a cru qu'elle était en train de tomber amoureuse de Titien ? Et a été ensuite empoisonné, par vengeance, pour ce qu'il avait fait ?

» Le frère auquel j'ai parlé à Padoue m'a dit que les peintures constituaient la vengeance de Titien, mais il ne se rendait pas vraiment compte de ce qu'elles représentaient réellement. Louise a déchiffré le mystère du récit en mettant bout à bout les différents fragments, en reconstruisant la série de Padoue et en la reliant au portrait de la marquise. Extrêmement futé de sa part, je dois dire.

» Allons ! Réfléchis un peu ! lui intima-t-il, car elle continuait de le regarder sans réagir. Titien ne se serait pas enfui à Padoue sauf s'il avait fait une bêtise. Le frère de Violante n'aurait pas arrêté le processus judiciaire

309

contre lui si Titien n'avait pas réparé l'honneur familial. Pietro Luzzi, lui, a bien disparu, et on a inventé une histoire ridicule à propos de sa mort sur un champ de bataille.

» "L'homme est mort, et il a disparu." C'est l'inscription concernant saint Antoine, mais ça exprimait également la vérité littérale à propos de Luzzi. Peux-tu imaginer l'effet produit par un article, étayé par une confession très élaborée et quasiment à la première personne, prouvant que Titien avait empoisonné Pietro Luzzi parce que celui-ci avait tué une amie et avait fait mourir de chagrin un autre de ses amis ?

— Ah ! je comprends enfin, fit-elle en poussant un énorme soupir. Quel soulagement ! Par conséquent, le tableau perdu n'était qu'un autoportrait de Pietro Luzzi ?

— Bravo ! Le bouquet final a eu lieu, naturellement, lorsque Louise Masterson a vu le lien. Quand Kollmar a prononcé son verdict au sujet du tableau de Milan, elle n'a rien dit. Mais le soir même elle s'est rendue à la réception de Lorenzo. Elle a aperçu le portrait et le nez lui a mis la puce à l'oreille, si j'ose dire… Elle ne saisit pas tout de suite le rapport, mais elle réfléchit sérieusement à la question. "C'est un visage intéressant, confie-t-elle à Van Heteren, mais il n'est pas sympathique. Il serait nécessaire de l'examiner de près." Il doit y avoir un lien entre ce tableau et celui de Kollmar dont ils ont discuté le matin même ; alors elle décide de découvrir de quoi il s'agit. Ce n'est qu'ensuite qu'elle annonce vouloir travailler elle-même sur le tableau de Benedetti.

» Elle se rend compte qu'il lui faut agir vite quand elle apprend que le tableau de la marquise est mis en vente, et qu'elle doit mettre les bouchées doubles lorsque Bralle lui annonce que celui de Benedetti risque de partir, lui aussi, pour une salle des ventes. Quelqu'un d'autre pourrait établir la corrélation. Alors elle commence à s'affoler : Milan, Padoue, les bibliothèques de Venise. Elle commence à réécrire fébrilement sa communication pour ajouter les derniers éléments de preuve dont elle a besoin. Au grand dam de Van Heteren, bien sûr. Roberts, je suppose, n'est pas capable d'imaginer qu'on puisse s'agiter à ce point pour un simple tableau. C'est pourquoi, au vu des périples de Louise, il aboutit fatalement à des conclusions erronées. Tu connais le reste.

» Violante a été poignardée par Pietro Luzzi dans un accès de jalousie, Titien a tué l'assassin et les autorités de l'époque ont étouffé l'affaire. Miller a poignardé Louise Masterson à cause d'un autre genre de jalousie, Van Heteren a assouvi sa vengeance en commettant une petite erreur, et les autorités de l'époque étouffent l'affaire. C'est un joli parallèle, tu ne trouves pas ? L'histoire se répète vraiment, semble-t-il.

— Et tu t'attends à ce que moi et le reste du monde on croie ça ? »

Il haussa les épaules.

« À ta guise. Mais c'est la seule théorie que je possède pour expliquer l'étrange procédé utilisé par Titien pour effectuer les peintures murales de Padoue. Non que ça ait de l'importance. Moi, en tout cas, je ne vais pas faire beaucoup de publicité là-dessus.

— Pourquoi pas ?

— En gros, je n'aime pas qu'on se moque de moi. Si je pouvais le prouver, ce serait différent. Mais il faudrait pour ça examiner de près le portrait de la marquise. Ce qui, grâce à toi, n'est plus possible. Il a disparu pour toujours. Il n'y a même pas de photos ; cette fameuse agence n'en possédait pas. J'attendais d'être allé le chercher pour en faire. Louise aussi comptait le photographier, mais Miller lui a réglé son compte avant. Et, bien sûr, sans preuve tangible, l'histoire s'écroule et ne reste qu'à l'état de supposition, d'hypothèse, de chimère.

» Par conséquent, conclut-il, comme dans le cas de Van Heteren, il faudra laisser Titien en paix et sa réputation intacte. Dommage ! Je n'aurais pas détesté devenir propriétaire du tableau, mais je suppose que je ne perds pas au change en me contentant du Titien de Benedetti. »

Il regarda Flavia pour voir sa réaction à ce qu'il considérait comme un exposé magistral.

« Je ne sais trop qu'en penser, dit-elle, en fourrant les mains dans ses poches, geste qui trahissait son malaise. Tu es certain de ne pas un peu t'amuser à mes dépens ? »

Il lui lança un étrange regard qu'elle jugea pour le moins ambigu.

« Qu'est-ce que c'est ? » finit-il par demander.

Flavia examinait une enveloppe qu'elle avait trouvée dans sa poche.

« Ce sont les clichés que j'ai pris du débarcadère sous

la maison de Roberts. C'est la seule preuve tangible qui puisse incriminer Van Heteren. »

Il s'en empara et les étudia à la lueur d'un réverbère. Puis il lui fit un large sourire, les déchira en deux et les jeta dans le canal, morceau par morceau ; puis ce fut le tour des négatifs. Ils les regardèrent dériver lentement avant de s'enfoncer dans l'eau.

« Si on doit entraver le cours de la justice, il faut le faire correctement ; c'est ce que je dis toujours. Ce soir, apparemment, cette satanée lagune est bourrée de preuves », dit-il.

Il passa un bras autour de la taille de Flavia, considérant qu'un tel geste serait excusable, vu les circonstances.

« Ah ! bien… Ça met un point final à l'affaire. Viens ! lui dit-il en exerçant une légère pression sur sa taille, pression qu'à son immense plaisir elle lui rendit. Je vais te raccompagner jusqu'à ta chambre. »

Il la fit pivoter sur ses talons, si bien qu'elle se retrouva dans la direction diamétralement opposée à celle de son hôtel.

« C'est par ici, je crois. »

N° d'édition : 3325
Dépôt légal : janvier 2002